LABORATORY MANUAL

TO ACCOMPANY

AN INVITATION TO FRENCH

Third Edition

Myrna Bell Rochester

McGraw-Hill Publishing Company
New York · St. Louis · San Francisco · Auckland · Bogotá · Caracas
Hamburg · Lisbon · London · Madrid · Mexico · Milan
Montreal · New Delhi · Oklahoma City · Paris · San Juan · São Paulo
Singapore · Sydney · Tokyo · Toronto

This is an ⌐EBI¬ book.

Laboratory Manual to accompany
Rendez-vous: An Invitation to French, Third Edition

1 2 3 4 5 6 7 8 9 0 MAL MAL 9 4 3 2 1 0

ISBN 0-07-540869-4

Grateful acknowledgment is made for use of the following realia:

Pages 66-67 ©Picard Surgelés, Service Information Consommateur, B.P. 93, 77792 Nemours Cedex, France; **99** map of France reprinted with permission from *Le Nouveau Guide de France*, by Torres and Michaud (Paris: Hachette, 1983); **107** museum guide reprinted with permission of Musée d'Orsay, Paris; **145** Astérix, Obélix, and Panoramix © 1990 Les Editions Albert René/Goscinny-Uderzo; **179** Reprinted by permission of the publisher, from *Le Petit Prince* by Antoine de Saint-Exupéry, © 1943 by Harcourt Brace Jovanovich, Inc., renewed 1971 by Consuelo de Saint-Exupéry.

This manual was typed on an Apple Macintosh® by Fog Press.
The editing supervisor was Jan deProsse.
Production was supervised by Pattie Myers.
The cover was designed by Irene Imfeld.
The drawings were done by Katherine Tillotson.
Malloy Lithographers were printer and binder.

TABLE DES MATIÈRES

PREMIER PAS

To the Student

Tips for getting the most out of the *Rendez-vous* tape program:

1. Lessons in this *Laboratory Manual* assume that you are familiar with the corresponding chapter material in *Rendez-vous,* third edition. Your instructor will probably suggest that you begin the lab lesson after a whole chapter, or certain designated chapter sections, have been presented in class.
2. Use the tape program at your school's language lab. If you have your own or a borrowed set of cassettes, use them anywhere you can listen, speak, and write without interruption. Use them as often as you can; you will notice that your speaking and listening ability will improve quickly.
3. Plan on working with the tapes in individual sessions of 20–30 minutes. Longer sessions are inefficient.
4. These tapes are largely designed to give you listening practice. Before sitting down to work, try to get yourself into a receptive mood. Minimize outside distractions. Get your bearings by reading direction lines and looking over the individual items in the exercise. Often these will help you know what to listen for.
5. Note that these are all practice activities, not tests. Many lab exercises will ask you for simple spoken or written reactions to what you've heard. Cue questions and statements are often repeated twice to aid your comprehension. If you're not sure what you heard, guess. Guessing the meaning of unfamiliar expressions based on surrounding clues is an important learning strategy.
6. You may stop the tape, rewind it, and replay passages or whole sections as needed. But don't stop the tape at single words or phrases that you may not understand at first. Always try to get the gist of what you hear before replaying any section.

Answers: Many exercise items provide suggested responses either before or after pausing for your answer. Your answer does not need to match these exactly. The important thing is to try to give an appropriate answer. Most answers to exercises asking for written responses are printed in the appendix to this manual. (Please don't refer to them, of course, before trying the exercise once or twice on your own.)

To the Instructor

This Laboratory Manual, with its tape program, accompanies the third edition of the first-year college text *Rendez-vous: An Invitation to French*. Each chapter of the Laboratory Manual is based on the corresponding text chapter, so that students may practice material soon after their class session. Students should use their Laboratory Manual along with the cassette tapes and are advised to work with the tapes for about a half-hour at a time.

The *Rendez-vous* laboratory program has been entirely rerecorded and almost entirely rewritten for the third edition. Listening activities figure prominently in all sections, the language is natural and understandable, and the content is lively and meaningful throughout. Much of the practice is visually based, with cues ranging from original cartoon strips to contemporary realia pieces.

We have provided an ample number of personalized interviews and questions, where the student plays the role of the second or third respondent. Some exercises are productive; many give practice in information-gathering, with either multiple choice or short-answer, written responses. Students are actively encouraged to listen for general ideas, to stop the tape to write or to study visuals, and to rewind the tape and listen again as needed.

The preliminary chapter, *Premier rendez-vous*, is organized according to the six short introductory lessons of the text; each subsequent chapter of the Laboratory Manual includes:

1. *Étude de vocabulaire*: a vocabulary section to be covered after the student is already acquainted with the theme vocabulary of the chapter. Each vocabulary sequence concludes with a personalized or interview activity.
2. *Étude de grammaire*: a variety of exercises touching on each grammar point, both receptive and productive. Some "partial dictations" are provided.
3. *Étude de prononciation:* focused pronunciation practice, with tips and reminders, and some repetition drills based on chapter material.
4. *Situation:* a reading of the *Situation* dialogue from each chapter, with a follow-up that elicits functional use of the expressions in the dialogue. The reading provides, for example, the first part of an exchange or describes a situation to which the student must react.
5. *Prenez l' écoute!* a new listening section based on realia or other visuals, dialogues or monologues, simulated commercials, news broadcasts or reports. Each section has a follow-up that encourages information-gathering and personalized responses.
6. Many answers or suggested answers are heard on tape (often with a pause for the student to repeat the suggested answer); answers to single-response, written exercises are printed in the appendix to this manual.

With the *Rendez-vous* laboratory tape program, first-year students have constant access to authentic, native language models while gaining needed personal skills. We believe that students will find this Laboratory Manual an interesting and vital part of their language learning.

Acknowledgments

Warm thanks go to all who inspired and participated in the creation of a product as complex as a laboratory tape program. Thalia Dorwick and Eirik Børve intelligently guided the first two editions. Jan deProsse, Pattie Myers, and Tina Barland provided technical and linguistic support for this edition. Laetitia Sonami expertly recorded the program and worked closely with the talented speakers. Axelle Fortier and Katherine Tillotson enlivened speech with their cartoons. And finally, to Eileen LeVan, coordinating editor, clear-headed decision maker, and chum, my deep gratitude.

We wish to dedicate this program to the memory of André Fertey, who taught us most of what we know about the medium.

M.B.R.
May 1990

Premier Rendez-vous

PREMIÈRE PARTIE

I. Bonnes manières

A. *Rencontres* (Encounters). Listen to several people greet each other and exchange pleasantries. Then participate in the conversation by giving your own answer to the question that began it.

> MODÈLE: Salut! —Salut! —Ça va? → <u>Bonjour, ça va?</u>

1. ...   2. ...   3. ...   4. ...   5. ...   6. ...

B. *Salutations. Jacqueline, Rémy et le nouveau professeur.*

You will hear a conversation among three people. Listen once or twice while you look at the sketches. Then do the following exercise.

Now you will hear questions taken from the conversation you just listened to. Say and circle the most logical of the three answers given below.

1. Au revoir.
   Merci bien.
   Bonjour, Madame.
2. Je m'appelle Jacqueline Martin.
   Très bien, merci.
   Ça va?
3. Je m'appelle Jacqueline Martin.
   Ça va?
   Très bien, et vous?
4. Pas mal.
   De rien.
   Je ne comprends pas. Répétez, s'il vous plaît, Madame.
5. Salut.
   Ah oui, je comprends. Merci bien, Madame.
   De rien.
6. Oh! Pardon! Excusez-moi!
   A bientôt!
   Au revoir!

7. Je m'appelle Rémy.
   Comme ci, comme ça.
   Et vous?
8. Bonsoir, Madame.
   Salut.
   Comment vous appelez-vous?

II. Les nombres de 0 à 20

A. *Comptez*! Repeat the numbers given, adding two numbers each time.

1. ...   2. ...   3. ...   4. ...

B. *Carnet d'adresses.* Listen as several students give their addresses and write the numbers you hear. Careful! The names below are not in order.

KENNETH: _____ boulevard des Ponts

AIMÉE: _____ avenue Kennedy

BERNARD: _____ rue Briand

JACQUELINE: _____ rue Duglas

MARIE: ___358___ rue Orme

III. La communication en classe

Qui parle? (Who's speaking?) Listen to the following sentences twice, then decide who probably said each one—a student or a teacher?

	UN(E) ÉTUDIANT(E)	UN PROFESSEUR
1.	_____	_____
2.	_____	_____
3.	_____	_____
4.	_____	_____
5.	_____	_____
6.	_____	_____
7.	_____	_____
8.	_____	_____

(Les réponses se trouvent en appendice. <u>Answers are in the appendix.</u>)

ÉTUDE DE PRONONCIATION (1)

A. *La syllabe.* In French, each syllable starts with a consonant. Syllables in a word or expression are practically equal in stress and "weight." Écoutez:

> je-m'ap-pelle-ma-rie-du-pont
> bon-jour-ça-va

Répétez les expressions suivantes. Attention à l'égalité des syllabes.

- Bonjour, ça va? (bon-jour-ça-va?)
- Oui, ça va bien. (oui-ça-va-bien)
- Comment vous appelez-vous? (com-ment-vou-sa-pe-lez-vous?)
- Je m'appelle Marcel Martin. (je-m'ap-pelle-mar-cel-mar-tin)
- Je ne comprends pas. (je-n[e]-com-prends-pas)
- Répétez, s'il vous plaît. (ré-pé-tez-s'il-vous-plaît)

B. *L'alphabet français.* Say each letter of the alphabet and the corresponding name after the speaker.

a	a	Anatole	h	hache	Hélène	o	o	Odile	u	u	Ulysse
b	bé	Béatrice	i	i	Isabelle	p	pé	Pascal	v	vé	Véronique
c	cé	Claude, Cyrille	j	ji	Jacqueline	q	ku	Quentin	w	double v	Wagram
d	dé	Denise	k	ka	Kévin	r	erre	Roland	x	iks	Xavier
e	e	Emma	l	elle	Lucien	s	esse	Suzanne	y	i grec	Yvette
f	effe	France	m	emme	Marguerite	t	té	Thérèse	z	zède	Zoë
g	gé	Georges, Guy	n	enne	Nicole						

Et vous? Comment vous appelez-vous? Prononcez votre nom à la française. Je m'appelle...

DEUXIÈME PARTIE

IV. Dans la salle de classe

A. *L'étudiante inattentive.* The woman you will hear is confused about what she is seeing. Look at each sketch as she describes it, and correct what she says.

> MODÈLE: Et voici un cahier! → <u>Mais non, c'est un livre!</u>

B. *Il y a combien... ?* Stop the tape for a moment to look at the following drawing. Then listen to the questions and answer them.

MODÈLE: Il y a combien d'étudiants ici (here)? → Il y a cinq étudiants.

1. ...   2. ...   3. ...   4. ...   5. ...   6. ...   7. ...

V. Les nombres de 20 à 60

A. *Dans l'économat.* Someone is counting the items in the supply room. Circle the numbers you hear.

1.	2	12	22
2.	17	47	57
3.	12	52	2
4.	26	6	16
5.	15	35	25
6.	13	30	45

(Les réponses se trouvent en appendice. <u>Answers are in the appendix.</u>)

B. *A la réception.* You are working at the reception desk of a busy Parisian office. You will hear clients' phone numbers twice. Write down the missing figures.

Kenneth: 43-48-<u>23</u>-31

Aimée: 59-22-_____-17

Bernard: 18-_____-30-21

Jacqueline: 36-13-59-_____

Marie: 27-_____-14-08

(Les réponses se trouvent en appendice.)

ÉTUDE DE PRONONCIATION (2)

La notation phonétique internationale et les sons (<u>sounds</u>) du français

Each of these symbols, taken from the International Phonetic Alphabet [IPA], corresponds to one of the sounds of French. The pronunciation lessons in *Rendez-vous* include a few phonetic transcriptions to help you distinguish various sounds and their typical letter combinations. From time to time, your instructor may also choose to use IPA transcriptions in class.

Prononcez les sons et les exemples suivants.

VOYELLES

VOYELLES ORALES

[a]	madame	[ma-dam]
[i]	di	[dis]
[e]	répétez	[re-pe-te]
[ɛ]	merci	[mɛr-si]
[u]	jour	[ʒur]
[y]	salut	[sa-ly]
[o]	au	[o]
[ɔ]	Robert	[rɔ-bɛr]
[ø]	deux	[dø]
[œ]	neuf	[nœf]
[ə]	de	[də]

VOYELLES NASALES

[ã]	en, comment	[ã], [kɔ-mã]
[ɛ̃]	bien, vingt	[bjɛ̃], [vɛ̃]
[ɔ̃]	bon, pardon	[bɔ̃], [par-dɔ̃]

SEMI-VOYELLES

[ɥ]	huit	[ɥit]
[j]	rien	[rjɛ̃]
[w]	moi, oui	[mwa], [wi]

CONSONNES

[b]	bon	[bɔ̃]	[p]	plaît	[plɛ]
[ʃ]	chalet	[ʃa-lɛ]	[r]	au revoir	[o-rə-vwar]
[d]	de	[də]	[k]	comme	[kɔm]
[f]	photo	[fo-to]	[s]	ça, si	[sa], [si]
[g]	Guy	[gi]	[z]	mademoiselle	[ma-dmwa-zɛl]
[ʒ]	je	[ʒə]	[t]	Martin	[mar-tɛ̃]
[ɲ]	champagne	[ʃã-paɲ]	[v]	va	[va]
[l]	appelle	[a-pɛl]			
[m]	mal	[mal]			
[n]	non	[nɔ̃]			

TROISIÈME PARTIE

Prenez l'écoute!

Messages pour le professeur. You are housesitting for Mme Blanchard, a French instructor. Listen to the messages on her answering machine and take notes about the calls.

<u>Remember: Don't attempt to grasp every word in the listening passage. Try to listen for the information that you need while looking at the questions or forms to fill out. You may replay portions of the tape as necessary.</u>

I.

Nom de la personne qui appelle (<u>Caller's name</u>) _____ Éric _____

C'est un(e) camarade? _____

           un(e) collègue? _____

           un(e) secrétaire? _____

           un(e) étudiant(e)? _____

Raison de l'appel: dire bonjour? _____

                      problème ou difficulté? _____

                      question? _____

Numéro de téléphone _____

Réponse nécessaire? oui? _____ non? _____

II.

Nom de la personne qui appelle   _____ Marie-Hélène _____

C'est un(e) camarade? _____

           un(e) collègue? _____

           un(e) secrétaire? _____

           un(e) étudiant(e)? _____

Raison de l'appel: dire bonjour? _____

                      problème ou difficulté? _____

                      question? _____

Numéro de téléphone _____

Réponse nécessaire? oui? _____ non? _____

(Les réponses se trouvent en appendice.)

VI. Quel jour sommes-nous?

Quel jour sommes-nous? On which day of the week do you usually do the things or visit the places mentioned on the tape?

MODÈLE: Vous êtes (<u>You are</u>) au cinéma →
<u>Nous sommes samedi.</u>

1.

2.

3.

4.

5.

Chapitre 1
La vie universitaire

PREMIÈRE PARTIE

Étude de vocabulaire

A. *Un rêve.* You will hear Corinne Legrand describe a dream she had. Indicate whether you find the elements in it normal or strange (*bizarre*). Replay the tape if you need to.

	ASSEZ NORMAL	ASSEZ BIZARRE
dans le bureau du prof	_____	____X____
dans la bibliothèque	_____	_____
dans la Fac des lettres	_____	_____
dans le café	_____	_____
dans le restaurant	_____	_____
au cinéma	_____	_____

(Les réponses se trouvent en appendice.)

B. *Goûts et préférences.* What do these people like to do? Look at the drawings, listen to each question twice, and answer based on what you see. After each response there is a question directed to you.

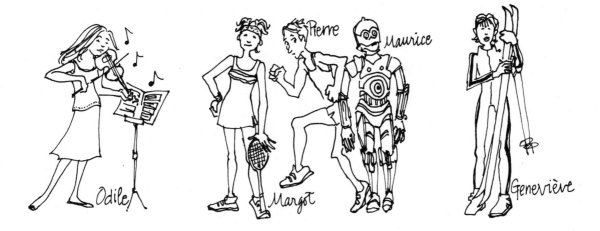

Expressions utiles (<u>useful</u>): *le tennis, les films de science-fiction, le ski, le volley-ball, la musique classique*

MODÈLES: Et Pierre? Il aime le base-ball? → Non, Pierre aime le jogging.

Et vous? Vous aimez le jogging? →
Mais oui, j'aime le jogging. (ou Non, j'aime mieux le tennis.)

1. ...   2. ...   3. ...   4. ...

C. *Une matinée studieuse.* Jeannette Rivard is a student in the Humanities with a busy schedule. Listen to her describe what she does in the morning and complete the following chart based on what she says.

Replay the tape if you need to, but remember that you do not need to understand every word you hear. Listen mainly for the information you need to complete the chart.

UNIVERSITÉ DE CAEN

Nom: Jeannette Rivard

heure / jour	lundi	mardi	mercredi	jeudi	vendredi
8 h.°					
9 h.					
10 h.					
11 h.					
12 h.					
13 h.					

heures = *o'clock*

D. *Et vous?* You will hear someone interviewing a group of students about what they like. Listen to the question, then to the answers given by two other students. Finally, give your own answer.

1. ...   2. ...   3. ...   4. ...

Étude de grammaire

1. Identifying people and things: Articles and nouns

A. *A la manifestation.* Look at the following drawing of a student demonstration, then react to the questions you hear.

MODÈLE: C'est un étudiant là-bas (<u>over there</u>)? → <u>Non, c'est une étudiante.</u>

1. ...   2. ...   3. ...   4. ...   5. ...

B. *Un plan du quartier universitaire.* Stop the tape to look at the following map. Now listen to each question twice and answer based on what you see.

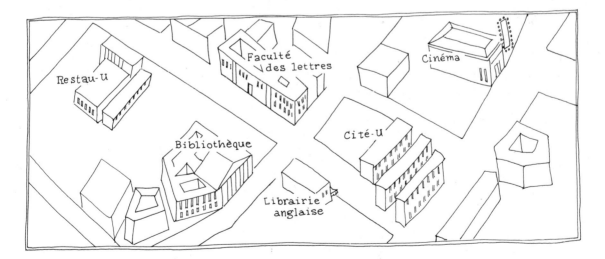

MODÈLES: La librairie anglaise est ici? → <u>Oui, voici la librairie anglaise.</u>

Il y a une discothèque? → <u>Ah non, mais voici la bibliothèque!</u>

1. ...   2. ...   3. ...   4. ...   5. ...

2. Expressing quantity: Plural articles and nouns

A. *A la librairie.* You are buying what you and several friends need for the semester. Check the shopping list, then answer the questions the cashier asks you.

MODÈLE: LA CAISSIÈRE: Vous désirez un cahier d'exercices, Mademoiselle?
　　　　　　　　VOUS: <u>Non, Madame, des cahiers d'exercices!</u>

1. ...   2. ...   3. ...   4. ...   5. ...

B. *Un cours difficile*

1. Listen to the conversation between Matthew and his Spanish instructor. Then do the following exercise.

C'est la rentrée des classes. Matthieu pose des questions à Mlle Breton, le professeur d'espagnol.

2. Now listen to each line from the conversation and indicate whether the object(s) mentioned are singular (S) or plural (P).

1. S	P		5. S	P	
2. S	P		6. S	P	
3. S	P		7. S	P	
4. S	P		8. S	P	

(Les réponses se trouvent en appendice.)

3. Expressing actions: -er verbs

A. *A la cité-U.* A group of students is watching a basketball game on television when one of them decides to take an informal poll. The question is: *Le soir* (In the evening), *est-ce que tu regardes la télé, d'habitude?* Listen to the students' answers and complete the following notes.

      XAVIER: Le soir, tu regardes la télé d'habitude?

   FRANÇOISE: Oh oui, _____ [1] très souvent des matchs sportifs.

    CHANTAL: Non, normalement le soir _____ [2] au café.

   JEAN-PAUL: Moi, _____ [3] les maths avec Françoise.

      RAOUL: Chantal et moi, _____ [4] des disques de jazz.

MARIE-FRANCE: _____ [5] des soirées dansantes.

(Les réponses se trouvent en appendice.)

B. *Une soirée* (evening) *à la cité-U.* The three students you see in the drawing major in different subjects. Listen to each of their comments twice, then circle the name of the person who is speaking.

<u>Remember: Listen for the general idea. Don't attempt to grasp every word the speakers say.</u>

1. Chantal   Arlette   Marie-France
2. Chantal   Arlette   Marie-France
3. Chantal   Arlette   Marie-France
4. Chantal   Arlette   Marie-France
5. Chantal   Arlette   Marie-France

4. Expressing disagreement: Negation using <u>ne... pas</u>

A. *Un profil de Bernard*

1.   Bernard is somewhat opinionated. Listen to what he says about himself once or twice, then answer the questions that follow.

2.   A friend of yours wants to know more about Bernard. You will hear her questions twice. (After you answer, you will hear a possible answer on the tape.)

MODÈLES: Bernard aime le ski? → <u>Oui, il aime le ski.</u>

Il aime danser? → Non, il n'aime pas danser.

1. ...   2. ...   3. ...   4. ...   5. ...

B. *Test psychologique.* You will hear questions about your likes and dislikes twice. Answer them. Do your answers suggest anything to you about your personality? (You will hear a possible answer on the tape.)

MODÈLES: Tu aimes travailler à la bibliothèque? →
<u>Non, je n'aime pas travailler à la bibliothèque.</u>

Tu préfères travailler à la maison? → <u>Oui, je préfère travailler à la maison.</u>

1. ...   2. ...   3. ...   4. ...   5. ...

DEUXIÈME PARTIE

Étude de prononciation

Les mots apparentés (Cognates). French and English are related languages, and have many similar words. Intonation and stress in French, however, differ from English. As you practice, be careful to give equal weight to each syllable of a French word.

Répétez les expressions suivantes.

• une situation nécessaire
• une prononciation différente
• un dialogue intéressant
• une attention dynamique
• un café délicieux

Répétez encore.

• Julien prépare une dissertation
• à la Faculté des sciences.
• Il déteste la situation,
• mais c'est une leçon importante.

La liaison. Note that a liaison is made—the sound [z]—when plural articles (*les, des*) and subject pronouns (*nous, vous, ils, elles*) precede words beginning with a vowel sound.

Répétez les expressions suivantes.

• les histoires bizarres

• des amis japonais

• vous habitez

• elles aiment

• ils étudient

• nous arrivons

Situation

Rendez-vous

1. Listen to this conversation (*Rendez-vous*, p. 36).
   Listen especially to the greetings and plans of
   the two friends, then do the following exercise.

2. *Pour donner rendez-vous.* The following
   expressions will be useful when you arrange to
   meet someone. Listen twice to the speaker and
   choose the most appropriate expression from this
   list to respond to what he says. (You will hear
   the correct answer on the tape.)

   MODÈLE: Salut! Comment ça va → <u>Pas mal, et toi?</u>

   Bon, d'accord.
   Ça va bien, merci. Et toi?
   Au revoir. A tout à l'heure.
   Oui, je prépare une leçon de français.

   1. ...   2. ...   3. ...   4. ...

Prenez l'écoute!

A. *Amis par correspondance* (Pen pals)

NOM ....

PRÉNOM ....

ADRESSE ....

         no   rue ou route   appartement

....

        village ou ville   comté

....

                       code postal

TÉLÉPHONE ....

SEXE .... ÂGE.............................

ÉCOLE:[a]

Nom ....

Adresse ....

....

ANNÉE OU NIVEAU[b] D'ÉTUDES ....

GOÛTS OU INTÉRÊTS PARTICULIERS

....

....

CORRESPONDANT(E) DÉSIRÉ(E)

SEXE .... ÂGE.............................

Dans l'impossibilité d'obtenir le correspondant ou la correspondante de ton choix,
accepterais-tu indifféremment un garçon
ou une fille?

oui ....   NON ....

PAYS[c]   1er choix.................................

            2e choix.................................

            3e choix.................................

Si tu ne peux obtenir un correspondant
ou une correspondante des pays ou régions
mentionnés, en accepterais-tu un de
n'importe quel[d] pays ou région?

oui ....   NON ....

LANGUE(S) DE CORRESPONDANCE

....

....

....

1. This is an application form from an office in Québec that sets up correspondence between students. Before you listen to the passages on the tape, fill out the application yourself, if you haven't already done so in class.

2. Now listen to one student who is looking for a pen pal describe himself. Fill in an application form for him based on what you hear. When you have finished, answer the question printed below it.

Vous désirez vous-même (*yourself*) établir une correspondance avec Félix? Pourquoi?

_____

_____

B. *Ma vie d'étudiant.* Listen to each question twice, then write your answer.

1. _____

_____

2. _____

3. _____

4. _____

Chapitre 2 Descriptions

PREMIÈRE PARTIE

Étude de vocabulaire

A. *Un nouveau job*

1. Gérard is looking for a job. You will hear him describe himself to the interviewer. What are his strengths? Listen once or twice, then do the following exercise.

2. Gérard has given your name as a reference, and the interviewer calls you with a few questions. Listen to each question twice and give her your opinion. (You will hear a possible answer on the tape.)

1. ...   2. ...   3. ...   4. ...

B. *Des étudiants typiques.* Suzanne is going to French class and Jean-Paul is going to see a play in Paris. Listen to a description of what each is wearing, and quickly sketch the clothing described on each of the figures below.

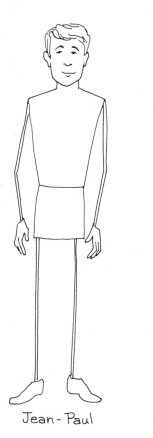 

Jean-Paul   Suzanne

Regardez Suzanne.

1. ...   2. ...   3. ...   4. ...   5. ...

(Les réponses se trouvent en appendice.)

Maintenant, regardez Jean-Paul.

1. ...　　2. ...　　3. ...　　4. ...　　5. ...　　6. ...

(Les réponses se trouvent en appendice.)

C. *Où sont les hamsters de Dorothée?* Listen to the following questions twice, then describe where Dorothée's hamsters are, using the prepositions *à côté de, sur, dans, derrière, devant* ou *sous*.

MODÈLE:　Anatole est dans la cage? → <u>Non, Anatole est sur la cage.</u>

1. ...　　2. ...　　3. ...　　4. ...　　5. ...

D. *Qu'est-ce que tu aimes porter?* Several people are being asked what they like to wear. Listen to their answers, then answer the question yourself. (You will hear two answers before you give your own.)

1. ...　　2. ...　　3. ...　　4. ...　　5. ...

Étude de grammaire

5. Identifying people and things: The verb <u>être</u>

A. *Un étudiant typique.* Natalie, a reporter for the university radio station, is interviewing Alain in his room at the *cité universitaire*. First listen to their conversation.

Now play the role of Alain and answer the questions by referring to the sketch. You will hear the questions twice. (You will hear a possible answer on the tape.)

1. ...   2. ...   3. ...   4. ...   5. ...

B. *Un étudiant inattentif.* Ludwig doesn't see very well. You will hear his observations twice. Correct them based on what you see.

MODÈLE: C'est une limonade? →
            <u>Non, ce n'est pas une limonade. Ce sont</u>
            <u>des Coca-Cola.</u>

1.

2.

3.

4.

5.

6. Describing people and things: Descriptive adjectives

A. *Une amie indispensable*

1. Robert and Michel are talking about someone in Michel's math class. Listen once or twice to what they say before you do the following exercise.

Robert est curieux. Il y a une étudiante intéressante dans le cours de mathématiques de Michel...

2. Now listen to each statement twice, then decide whether the statements that follow are true, V (*Vrai*) or false, F (*Faux*).

1.	V	F	3.	V	F
2.	V	F	4.	V	F

(Les réponses se trouvent en appendice.)

B. *Maryse et Benoît*. What do they have in common? How are they different? You will hear the questions twice. Answer them based on what you see. (You will hear a possible answer on the tape.)

MODÈLE: Maryse est très individualiste. Et Benoît? →
<u>Benoît n'est pas très individualiste</u> ou <u>Benoît aussi est individualiste.</u>

1. ...　　2. ...　　3. ...　　4. ...　　5. ...　　6. ...

C. *Votre tempérament*. Now describe yourself by answering the following questions about your personality. Use *assez* or *très* with the adjective.

MODÈLE: Vous êtes idéaliste ou réaliste? → <u>Je suis assez réaliste.</u>

1. ...　　2. ...　　3. ...　　4. ...　　5. ...

7. Getting information: Yes/No questions

A. *Au Prisunic*. Listen to these comments that you might overhear in a French department store. Each comment will be repeated. Write the name of the person who probably said it, based on the sketch.

1. _____   4. _____

2. _____   5. _____

3. _____

(Les réponses se trouvent en appendice.)

B. *Vous êtes curieux*. You want to know more about one of your friend's new boyfriends, but she has not said much. Listen twice to this list of things you might want to know, and ask her a direct question. Use a variety of question forms: change in intonation, inversion, and *est-ce que*. (You will hear a possible question on the tape.)

MODÈLE: Vous voulez savoir si Augustin est
sympathique. →
Il est sympathique, Augustin?

1. ...   2. ...   3. ...   4. ...   5. ...   6. ...

8. **Mentioning a specific place or person: The prepositions <u>à</u> and <u>de</u>**

A. *D'où arrive Chantal?* A curious neighbor wants to know what Chantal does during the day. She's always coming back from somewhere. Answer the neighbor's questions, based on a schedule Chantal has left with you.

mercredi, 3 décembre
- 9–10h *cours de philo*
- 10–11h *salle de sport*
- 2–4h *laboratoire de chimie*
- 5–6h *amphithéâtre (conférence)*
- 7–8h *restau-U*
- 9–11h *cinéma*

MODÈLE: D'où arrive Chantal vers (<u>around</u>) dix heures? →
<u>Elle arrive du cours de philo.</u>

1. ...   2. ...   3. ...   4. ...   5. ...

B. *Une soirée tranquille*

1. You will hear a description of this scene. Listen to it once or twice before you do the following exercise.

2. Now answer the questions you will hear twice, based on the preceding description. (You will hear a possible answer on the tape.)

   MODÈLE: Où habitent les étudiants? → <u>Ils habitent à la cité-U.</u>

   1. ...   2. ...   3. ...   4. ...   5. ...

3. *Et toi?* Answer a friend's questions about the things you do.

   1. ...   2. ...   3. ...   4. ...   5. ...

DEUXIÈME PARTIE

Étude de prononciation

L'articulation en français. French sounds—vowels in particular—are produced with the mouth and lips tense. Most are created in the front of the mouth. In general, they are distinct from one another, not run together.

Compare: English → Mississippi; French → Mi-ssi-ssi-ppi. Pay attention to the vowels as you repeat these sentences.

Répétez les phrases suivantes.

- Bonjour! Comment t'appelles-tu?
- Je m'appelle Patricia. Et toi?
- Voilà Didier. C'est un pianiste. Il est de Dakar.
- Salut. Et toi, Patricia, tu es d'où?

Situation

Au restau-U

1. Listen to this conversation (*Rendez-vous*, p. 68). Notice how people are introduced to one another.

2. *Qu'est-ce qu'on dit pour présenter un ami?* Practice introducing people by following the cues; you will hear them twice. (You will hear a possible introduction on the tape.)

   MODÈLE: Présentez Richard, un ami de New York qui joue au football. →
   <u>Voici Richard. Il est de New York. Il joue au football.</u>

1. ...   2. ...   3. ...   4. ...

Prenez l'écoute!

A. *Énormes rabais* (discounts)!

1. Now you will hear a radio ad. Listen as many times as you need to, then mark the following statements V (*Vrai*) ou F (*Faux*), based on what you hear and what you see in the ad. Remember that you do not need to understand everything in order to do the exercise.

Vrai ou faux?

1. _____ Puce Market vend (*sells*) des équipements sportifs.

2. _____ Les vêtements d'enfants sont en solde (*on sale*) cette semaine.

3. _____ Puce Market offre des vêtements relax et à la mode.

4. _____ Puce Market est spécialisé en vêtements pour des professionnels: médecins, professeurs, directeurs de société, etc.

(Les réponses se trouvent en appendice.)

Complétez.

1. Nommez trois vêtements qui sont en solde à Puce Market.

   _____

2. Quelle est la clientèle de Puce Market?

   _____

3. Dans quelle ville (*city*) sont les magasins Puce Market? Où est cette ville?

   _____

   _____

2. *Un vêtement approprié.* The Puce Market ad has caught Grégoire's eye. Cybèle and Grégoire are talking about Grégoire's clothes. Look over the sentences below, then listen to their conversation and complete them. Listen again if you need to.

1. Demain (*Tomorrow*), Cybèle et Grégoire partent pour _____.

2. Les vêtements de Grégoire sont _____.

3. Selon Grégoire, au Puce Market, il y a _____

   _____

4. Grégoire n'est pas _____... pour les vêtements.

5. Cybèle accompagne Grégoire. Elle cherche _____

   _____

6. Et vous? Il y a au Puce Market des vêtements que vous cherchez? Pourquoi?

_____

_____

B. *Et vous?* Imagine that you are meeting several French-speaking students for the first time. Listen to their questions twice, then give a personal answer to each one.

PUCE MARKET
72, rue de France et 2, rue Bonaparte — NICE
HELL'S ANGELS
5, avenue de la Californie — NICE
ENORMES
RABAIS

JEAN'S DENIM indigo, délavé ou non Grand choix de gdes marques Fin séries .... 130 F **– 70 %** **39** F	**COMBINAISONS**°VELOURS Dédé blanc, mode, col. divers ...... 280 F **– 50 %** **140** F	
PANTALONS PALATINE VELOURS Toutes tailles plusieurs coloris Du 38 au 48 .... 150 F **– 60 %** **60** F	**BLOUSONS** fourrés aviateur imperméabilisés, acrylique .... 220 F **– 50 %** **110** F	
JEAN'S VELOURS MILLE RAIES Tr. gd choix mod. rétro ou norm. Fines côtes. Toutes tailles ....: 140 F **– 60 %** **56** F	**TRÈS BEAUX PULLS** JACQUARD Barbe Noire, de 2 à 14 ans .... 80 F **– 50 %** **40** F	
	SOUS PULLS Acrylique .... 20 F **– 50 %** **10** F	

jumpsuits

1. ...   2. ...   3. ...   4. ...   5. ...   6. ...   7. ...   8. ...

Chapitre 3 Le logement

PREMIÈRE PARTIE

Étude de vocabulaire

A. *Un nouveau décor.* You are helping someone plan the decoration of her room. In the room now there is only a sink (*un lavabo*), a bed (*un lit*), and a dresser (*une commode*). Listen to her comments and draw the items she mentions in their proper place. (Stop the tape if you need to.)

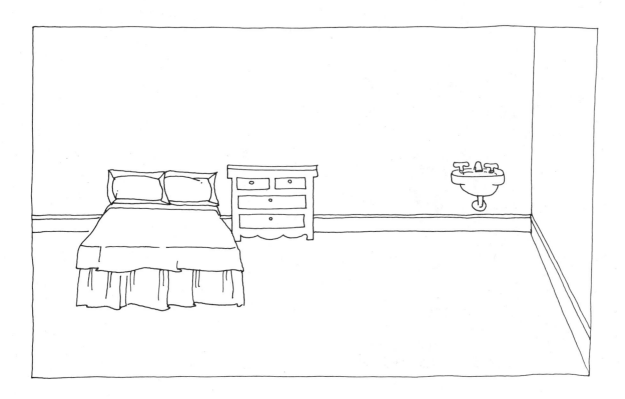

1. ...   2. ...   3. ...   4. ...   5. ...   6. ...

Selon vous, qu'est-ce qui manque (*what's missing*) maintenant dans cette chambre? Écrivez votre réponse.

Dans cette chambre, il n'y a pas de _____

_____

_____

B. *L'aspect physique.* Here are three people. You will hear questions about them. Answer based on the drawing.

> MODÈLE: Qui a les cheveux blonds? →
>   <u>Caroline a les cheveux blonds.</u>

1. ...   2. ...   3. ...   4. ...   5. ...

C. *Quelle est la date?* Look at the drawings and react by giving the correct date.

> MODÈLE:

Attention! On te joue un tour!
—Nous, sommes en juin, n'est-ce pas?
—<u>Non, nous sommes en avril. C'est le premier avril.</u>

<u>Remember: Listen for clues about the date. Don't attempt to grasp every word the speakers say.</u>

1.

2.

3.

4.

5.

6.

D. *Sondage des étudiants.* Create a description of yourself by answering the following questions. First you will hear two other students answer, then give your own answer.

1. ...   2. ...   3. ...   4. ...   5. ...   6. ...

Étude de grammaire

9. Expressing actions: –ir verbs

Une vie nouvelle

1. Arthur and Mireille are not happy with their work and are looking for new jobs. Listen to Mireille twice and write the missing verbs below.

En ce moment, Arthur et moi nous _____ de nouveaux postes. Nous

_____ beaucoup aux choix possibles. Chez nous, on est raisonnable, on

n'_____ pas avec précipitation. Mais dans le travail, nous

_____ assez le risque, les voyages, la nouveauté. Les gens comme nous

_____ souvent par trouver une situation banale. Mais ce n'est pas comme

ça qu'on _____ sa vie. Nous, nous _____ une

vie moins tranquille. C'est pourquoi, en mars, nous partons pour la Guyane (<u>French Guyana</u>)...

2. *La décision d'Arthur et de Mireille.* Now play the role of Arthur and answer questions about your decision.

1. ...   2. ...   3. ...   4. ...

10. Expressing possession and sensations: The verb <u>avoir</u>

A. *Une vie riche.* Marie-Claude is studying at the *École de commerce* in Paris. Listen to her conversation with Jean-Pierre and check off the items on the list that she says are part of her life.

_____ de bons amis	_____ un petit appartement
_____ des difficultés	_____ un canapé confortable
_____ des cours intéressants	_____ des cours d'art
_____ un micro-ordinateur	_____ des profs intelligents
_____ une camarade de chambre	_____ un immeuble en ville

(Les réponses se trouvent en appendice.)

B. *En période d'examens.* Listen to these descriptions of Charles's life while you look at the drawings. Then ask Charles a logical question, using an expression with *avoir*. (You will hear a possible answer.)

MODÈLE: Charles travaille beaucoup et très tard le soir pour préparer son examen. Que demandez-vous à Charles? →
<u>Tu as sommeil?</u>

1.

2.

3.

4.

5.

6.

C. *Réactions logiques.* How do you react to the situations you will hear described? Listen to each one twice. (You will hear a possible answer.)

MODÈLE: Vous étudiez beaucoup et vous êtes fatigué(e). → <u>J'ai sommeil!</u>

1. ...   2. ...   3. ...   4. ...   5. ...   6. ...

11. Expressing the absence of something: Indefinite articles in negative sentences

A. *Un crime: le locataire* (tenant) *sous le lit.* A police inspector is interrogating Mme Hareng, the building manager. Look at the drawing and answer for Mme Hareng. You will hear the questions twice. (Stop the tape if you need to.)

     MODÈLE: Il y a des visiteurs dans la chambre? → <u>Non, il n'y a pas de visiteurs dans la chambre.</u>

1. ...   2. ...   3. ...   4. ...   5. ...   6. ...   7. ...

B. *L'inspecteur continue son enquête* (investigation). Play the role of Mme Hareng, who has decided not to cooperate and systematically says no to everything. You will hear the questions twice. (You will hear a possible answer.)

     MODÈLE: Avez-vous un chien dans l'immeuble? → <u>Non, je n'ai pas de chien ici.</u>

1. ...   2. ...   3. ...   4. ...   5. ...

12. Getting information: <u>où</u>, <u>quand</u>, <u>comment</u>, <u>pourquoi</u>, etc.

A. *Vous ne savez pas...* (You don't know . . .). You are trying to find out more about several new acquaintances. Listen to each situation twice, then ask an appropriate question. (You will hear a possible question.)

     MODÈLE: Vous ne savez pas le nom de la nouvelle étudiante. Que dites-vous? →
              <u>Comment t'appelles-tu?</u>

1. ...   2. ...   3. ...   4. ...   5. ...   6. ...

B. *Une demande de logement.* Yvette Delorme has written a letter to Mme Gérard to rent a room. You will hear the letter twice; the second time, listen to each sentence and write a question that would call for such an answer.

MODÈLE: Je m'appelle Yvette Delorme. → <u>Comment vous appelez-vous?</u>

1. _____

2. _____

   _____

3. _____

   _____

4. _____

   _____

5. _____

(Les réponses se trouvent en appendice.)

DEUXIÈME PARTIE

Étude de prononciation

English speakers often pronounce vowels as diphthongs. In the word "bay," for example, the sound <u>-ay</u> is a diphthong or glide. If you listen carefully, you will hear two different sounds in the sound <u>-ay</u>. Diphthongs do not exist in French. Every vowel is pronounced with a single sound.

1. Répétez les mots anglais et français.

<u>café</u>	café	<u>bow</u>	beau
<u>play</u>	plaît	<u>parole</u>	parole
<u>say</u>	sais	<u>rose</u>	rose
<u>tray</u>	très	<u>table</u>	table
<u>aye</u>	est	<u>sage</u>	sage

2. Répétez les expressions suivantes. Évitez (*Avoid*) la diphtongaison.

   - il y a du pâté
   - au buffet du café
   - sa grave rage
   - c'est une question d'âge
   - il joue un rôle
   - au bureau de l'hôtel

3. Répétez les phrases suivantes. Faites bien attention aux voyelles qui terminent (*end*) une syllabe.

- Pardon, où est le téléphone, s'il te plaît?
- Ça, je ne sais pas.
- Qu'est-ce que c'est, le foyer?
- Moi aussi, je suis nouvelle ici.
- Quelle bonne idée, j'ai très faim!

Situation

Pardon... Karen arrive à la cité universitaire d'Orléans.

1. Listen to this conversation (*Rendez-vous*, p. 97). Pay special attention to the various ways of asking for information.

2. *Qu'est-ce qu'on dit... pour demander des renseignements* (information)? Now listen to Karen's remarks, and look at the following list. Find and ask the question that corresponds to each of her queries.

MODÈLE: Je n'arrive pas à trouver un téléphone. → <u>Où est le téléphone, s'il te plaît?</u>

Qu'est-ce que c'est, le foyer?
Pourquoi est-ce que tu ne sais pas?
Quand dîne-t-on au restau-U?
Où est le téléphone, s'il te plaît?
Comment est le restaurant universitaire?

1. ...   2. ...   3. ...   4. ...

3. *Une rencontre.* Imagine that you are talking with a French-speaking student at your college or university. She needs some information. Listen to her questions twice, and answer based on what you know about your own campus. (No possible answer is provided.)

MODÈLE: S'il vous plaît, je n'arrive pas à trouver le restau-U. →
<u>Le restau-U? Il est à côté de la librairie.</u>

1. ...   2. ...   3. ...   4. ...   5. ...

Prenez l'écoute!

A. *Chambre à louer.* Catherine Duriez, a student in Montpellier, would like to rent a room, but she has some very specific needs, such as a kitchen (*une cuisine*). Listen to the questions she asks a landlord about a certain room, then check below which of the items the landlord can or cannot provide. (You may find it helpful to look through the list before you listen.)

Catherine a besoin...	*Le propriétaire offre-t-il cette possibilité?*		
	Oui	*Non*	*Pas certain*
de jouer du piano	_____	_____	_____
de calme	_____	_____	_____
d'un grand lit	_____	_____	_____
d'un garage ou d'un parking	_____	_____	_____
d'une salle de bains privée	_____	_____	_____
d'une grande étagère ou bibliothèque	_____	_____	_____
de préparer des repas légers (*light meals*)	_____	_____	_____
d'avoir quelques visiteurs le week-end	_____	_____	_____
d'une fenêtre qui ne donne pas sur la rue	_____	_____	_____
de payer moins de 800 F par mois	_____	_____	_____

(Les réponses se trouvent en appendice.)

1. Regardez encore une fois la liste. Est-ce que la chambre convient (*suits*) à Catherine?
    Elle (ne) convient (pas) à Catherine parce que

    _____

    _____

2. De quoi avez-vous besoin dans une chambre? Nommez les cinq essentiels.

    _____

    _____

    _____

    _____

    _____

B. *Et vous?* Imagine that you are looking for a room in Montpellier and you call M. Gérard. Answer the
    questions he asks you. You will hear each one twice. (No possible answers are provided.)

    1. ...   2. ...   3. ...   4. ...   5. ...   6. ...   7. ...   8. ...

Name _____ Date _____ Class _____

Chapitre 4
Les Français chez eux

PREMIÈRE PARTIE

Étude de vocabulaire

Note: Starting in this chapter, directions will be given in French.

A. *Réunion de famille.* Avec son ami Vincent, Sylvie attend sa famille à l'aéroport. Qui arrive? Écoutez deux fois (*two times*) les remarques de Sylvie et jouez le rôle de Vincent, selon le modèle.

MODÈLE: SYLVIE: Voici la mère de mon père. →
           VINCENT: <u>Ah! C'est ta grand-mère, alors.</u>

1. ...   2. ...   3. ...   4. ...   5. ...

B. *Chez les Dubois.* Arrêtez la bande (*Stop the tape*) pour regarder cette maison et les membres de la famille. Ensuite, écoutez deux fois (*two times*) chaque affirmation et indiquez si elle est vraie (V) ou fausse (F).

Voici M. et Mme Dubois, leurs enfants, Jean-Louis et Micheline, et M. et Mme Carnot, les parents de Mme Dubois.

1. V   F   4. V   F   7. V F
2. V   F   5. V   F   8. V F
3. V   F   6. V   F

(Les réponses se trouvent en appendice.)

C. *Le décor chez les Dubois.* Écoutez la question et répondez selon le dessin.

    MODÈLE: Où se trouve le canapé? → <u>Dans la salle de séjour.</u>

1. ...   2. ...   3. ...   4. ...   5. ...   6. ...

D. *Et vous?* Un décorateur (*interior designer*) interviewe ses nouveaux clients avant de commencer (*before beginning*) à travailler dans leur maison. Écoutez les réponses de deux autres clients et répondez vous-même à la question.

1. ...   2. ...   3. ...   4. ...

Étude de grammaire

13. Expressing possession: <u>mon</u>, <u>ton</u>, etc.

A. *Deux cousins.* Aujourd'hui, Luc et Sophie passent l'après-midi chez leur grand-mère. Ils jouent aux grandes personnes. Regardez le dessin, écoutez la question et répondez à la question.

MODÈLE: C'est la cravate de Luc? → <u>Non, ce n'est pas sa cravate.</u>

1.   ...   2.   ...   3.   ...   4.   ...   5.   ...

B. *Notre arbre généalogique*

1.   Édouard Deschamps décrit sa famille. Écoutez-le tout en regardant (*while looking at*) l'arbre généalogique. Complétez l'arbre en écrivant les prénoms des membres de sa famille. (Repassez la bande [*Replay the tape*] si nécessaire.)

2. Regardez la position de la petite Dominique Lagrange dans l'arbre généalogique. Repassez la bande et écoutez encore une fois Édouard Deschamps. Qui sont les personnages mentionnés par rapport à (*in relation to*) Dominique? Répondez par écrit. (Arrêtez la bande [*Stop the tape*] si nécessaire.)

> MODÈLE: Qui est Simone? → <u>C'est sa mère.</u>

1. C'est _____

2. C'est _____

3. C'est _____

4. Ce sont _____

5. Ce sont _____

(Les réponses se trouvent en appendice.)

14. Talking about your plans and destinations: The verb <u>aller</u>

A. *Comment vas-tu?* Sylvie rencontre (*meets*) un de ses cousins. Jouez le rôle de Sylvie et répondez aux questions, selon le modèle.

> MODÈLE: Salut, Sylvie! Comment vas-tu? → <u>Je vais bien, merci.</u>

1. ...   2. ...   3. ...   4. ...   5. ...   6. ...

B. *Où va-t-on?* Écoutez la personne et cherchez le dessin correspondant. Continuez l'histoire avec le verbe *aller*. (Les réponses données sont des réponses suggérées.)

> MODÈLE: Gérard passe le samedi soir à regarder un bon film.
> —Où va-t-il, alors? → <u>Il va au cinéma.</u>

<u>These passages contain some words new to you, to expose you to everyday spoken French. Try to do the exercise by getting the gist of what is said.</u>

C. *Visite de Paris.* Quels sont vos projets (*plans*)? (1) Utilisez *aller* + l'infinitif pour répondre à la première question. (2) Donnez une réponse personnelle à la deuxième question posée. (La deuxième question n'a pas de réponse suggérée.)

> MODÈLES: Aujourd'hui, je travaille. —Et demain? →
> (1) <u>Et demain, je vais travailler.</u>
>
> Et vous, allez-vous travailler demain? →
> (2) <u>Non, demain, je ne vais pas travailler.</u>

1. ...   2. ...   3. ...   4. ...

15. Expressing what you are doing or making: The verb <u>faire</u>

A. *Qu'est-ce qu'il fait? Qu'est-ce qu'elle fait?* Regardez ces personnes. Écoutez deux fois la question et répondez selon le modèle.

> MODÈLE: Qui fait un voyage? → <u>Marie-Rose fait un voyage.</u>

1. ...   2. ...   3. ...   4. ...   5. ...   6. ...   7. ...   8. ...

B. *Que font-ils?* Regardez encore une fois les dessins ci-dessus (*above*). (Arrêtez la bande si nécessaire.) Écoutez deux fois chaque question et répondez selon le modèle.

> MODÈLE: M. Delatour fait-il le ménage? → <u>Non, il fait une promenade.</u>

1. ...   2. ...   3. ...   4. ...   5. ...

C. *Conséquences logiques.* Qu'est-ce que tu as besoin de faire? Le speaker décrit certaines situations. Écoutez-les et répondez aux questions. Utilisez des expressions avec *faire.* (Les réponses données sont des réponses suggérées.)

1. ...   2. ...   3. ...   4. ...

16. Expressing actions: –re verbs

Une visite

1. Écoutez l'histoire de François en regardant les dessins ci-dessous (*below*). Ensuite, répondez aux questions posées. (Repassez la bande si nécessaire.)

2. Écoutez deux fois chaque question et répondez-y (*answer it*) selon l'histoire de François.

> MODÈLE: Sur le premier dessin, qu'est-ce que François attend? →
> François attend un coup de téléphone.

1. ...   2. ...   3. ...   4. ...   5. ...   6. ...

DEUXIÈME PARTIE

Étude de prononciation

L'accent. Le terme «accent» se réfère à la longueur de la syllabe et à l'insistance sur la syllabe. En anglais, on *insiste* sur certaines syllabes. En français, chaque syllabe a pratiquement une valeur égale. On insiste un peu sur la dernière syllabe du mot («l'accent final»).

1. Écoutez les mots anglais et remarquez l'accent. Ensuite répétez les expressions et les mots français. Attention à la valeur égale des syllabes en français.

> *realistic* (re·a·lis'·tic)   réaliste: un tableau réaliste
> *intelligent* (in·tel'·li·gent)   intelligent: un ingénieur intelligent
> *grammar* (gram'·mar)   grammaire: la grammaire française
> *exaggeration* (ex·ag·ger·a'·tion)   exagération: une exagération incroyable
> *professor* (pro·fes'·sor)   professeur: un professeur d'anglais

2. Répétez les phrases suivantes. N'insistez pas sur les syllabes françaises. Notez aussi l'intonation d'une question.

- Tu es libre dimanche?
- Oui, pourquoi?
- Tu veux venir avec nous?
- Avec plaisir! Qu'est-ce que je peux apporter?
- Des fruits ou du chocolat...
- Oui, d'accord.

Situation

Invitation. Yannick invite Jennifer à faire un pique-nique avec sa famille.

1. Écoutez cette conversation (*Rendez-vous*, p. 126). Faites bien attention à la manière d'inviter et d'accepter une invitation. (Repassez des passages si nécessaire.)

2. *Qu'est-ce qu'on dit... pour accepter une invitation?* Vos amis vous invitent. Acceptez chaque invitation en utilisant des expressions comme: *Mais oui, avec plaisir! Ça va être sympa! Oui, d'accord. Comme c'est gentil!* etc. (La réponse donnée est une réponse suggérée.)

MODÈLE: Tu dînes chez nous ce soir? → <u>Mais oui, avec plaisir!</u>

1. ...   2. ...   3. ...   4. ...

Prenez l'écoute!

A. *Projets de vacances*

Catherine Mamet dans Les Alpes
UNE FEMME PROMOTEUR
AU PAYS DE MÉGÈVE :
DANS LES SAPINS, SKI OU PROMENADE

A 5 km de Mégève, une résidence de chalets au charme savoyard: balcons de bois, toits en pente douce, appartements prolongés de balcons terrasses. Dehors, neige et sapins invitent au ski et à la promenade.

310.000 F*

2 PIECES
plus BALCON
plus CASIER A SKIS
plus PARKING
Cuisine équipée, salle de bains, toilettes indépendantes.

interprétation de l'artiste

Catherine Mamet 7, rue du Cdt Rivière 75008 Paris. Tél. (1) 42.56.48.88.

Catherine Mamet
Je signe mes immeubles!

Je souhaite une documentation sur votre programme de Praz-sur-Arly:
Nom: _____ Prénom: _____
Adresse: _____
Tél.dom.: _____ Tél.bur.: _____

1. Pendant les vacances de Noël, Jennifer va faire du ski dans les Alpes avec la famille Montaron: Yannick, son frère et ses parents. Dans sa lettre, Jennifer invite une amie américaine, Barbara, à venir (*to come*) passer les vacances avec elle en France. Écoutez:

2. Maintenant réécoutez la lettre et complétez les phrases dans votre manuel. (Repassez certains passages si nécessaire.)

   1. Le voyage est fixé pour les _____ de _____.

   2. On va faire _____ dans les Alpes.

   3. Jennifer va voyager avec _____ de _____ Yannick.

   4. Il y a _____ personnes dans la famille Montaron: Yannick, sa _____, son

      _____ et son _____ Jean-Charles.

   5. Les Montaron habitent dans un bel _____ à _____.

   6. Les Montaron vont aussi _____ un appartement à côté.

   7. Jennifer compte passer _____ jours à Mégève, puis _____ jours à visiter la région.

   8. Barbara a besoin seulement de _____ et d'une _____.

(Les réponses se trouvent en appendice.)

B. *Et vous*? Voici des questions sur vos projets de week-end. Écoutez deux fois chaque question et répondez par écrit en quelques mots. (Il n'y a pas de réponse suggérée.)

1. _____

2. _____

3. _____

4. _____

5. _____

_____

Chapitre 5
Les Français à table

PREMIÈRE PARTIE

Étude de vocabulaire

A. *Qu'est-ce qui n'est pas sur la table*? Regardez les dessins, écoutez la description et complétez la phrase. Dites ce qui manque. (*Say what's missing.*) (La réponse donnée est une réponse suggérée.)

> MODÈLE: C'est le petit déjeuner. Vous mettez (*set out*) le pain, mais il n'y a pas de... →
> <u>Il n'y a pas de beurre.</u>

1.

2.

3.

4.

5.

B. *Au marché.* Votre camarade a envie d'acheter certains aliments (*foods*)—mais il ne connaît pas (*doesn't know*) le nom français de ces articles. Écoutez les descriptions et donnez-lui le nom. (Il n'est pas nécessaire de comprendre tous les mots de sa description.)

1. ...   2. ...   3. ...   4. ...   5. ...

C. *Gestes* (Actions) *de tous les jours.* Écoutez la question et répondez-y avec une expression de la liste suivante.

avec un couteau   dans une tasse
avec une fourchette   dans un verre
avec une petite cuillère   sur une assiette
dans une bouteille

1. ...   2. ...   3. ...   4. ...   5. ...

D. *La journée de Déborah.* Regardez les images et écoutez les descriptions. Dites quelle heure il est probablement.

MODÈLE: Bonjour! Pauvre Déborah est encore fatiguée... → <u>Il est six heures et demie.</u>

E. *Quelle heure est-il?* Écoutez la situation et l'heure, et indiquez au crayon l'heure correcte. (Arrêtez la bande si nécessaire.)

(Les réponses se trouvent en appendice.)

      MODÈLE: Je prends l'apéritif. Quelle heure est-il?
                   Il est cinq heures et quart.

1.

2.

3.

4.

5.

6.

F. *Les saisons et le temps.* Écoutez ces descriptions et corrigez les détails illogiques. Commencez votre réponse par *Non, au contraire...* (La réponse donnée est une réponse suggérée.)

> MODÈLE: Je mets mes bottes et je prends mon parapluie. Le vent est assez fort; le ciel est couvert. Il fait du soleil ce matin. → <u>Non, au contraire, il pleut!</u>

1. ... 2. ... 3. ... 4. ...

G. *Délices.* C'est votre anniversaire. Un camarade va préparer vos plats favoris. D'abord, il va faire le marché. Écoutez ses questions et dites-lui vos préférences.

1. ... 2. ... 3. ... 4. ... 5. ... 6. ... 7. ...

Étude de grammaire

17. Talking about food and drink: –re verbs: prendre and boire

A. *Chez Madeleine*

1. Ce soir, Thérèse et Jean-Michel dînent au restaurant. D'abord, prenez le temps de regarder le menu à prix fixe. (Arrêtez la bande si nécessaire.)

Maintenant, écoutez le dialogue entre Jean-Michel et Thérèse. Répondez ensuite aux questions posées. (Repassez certains passages si nécessaire.)

2. *A table.* Maintenant, jouez le rôle de Thérèse et répondez aux questions du serveur (*waiter*) en regardant le menu. (Les réponses données sont des réponses suggérées.)

> MODÈLE: Bonsoir, Mademoiselle. Vous buvez du vin ce soir? →
> <u>Non, merci. Je vais boire une eau minérale, s'il vous plaît.</u>

1. ... 2. ... 3. ... 4. ... 5. ...

B. *Études de viticulture* (winemaking)

1. Écoutez la description des activités d'une jeune
   étudiante, Jeannette. Puis, répondez aux questions
   suivantes. (Repassez la bande si nécessaire.)

2. Écoutez deux fois ces questions et encerclez la réponse
   correcte.

1. Jeannette fait des études <u>de viticulture / d'agriculture</u>.
2. Elle apprend à cultiver la vigne et à <u>faire la cuisine / faire du vin</u>.
3. Aujourd'hui, elle goûte un nouveau <u>vin de Bourgogne / vin de Bordeaux</u>.
4. Elle prend son temps parce qu'elle <u>apprécie la qualité du vin / n'a pas beaucoup de travail</u>.
5. Elle décide que le vin est <u>trop sucré / trop jeune</u>.
6. Après, Jeannette va boire <u>un autre vin / de l'eau</u>.

(Les réponses se trouvent en appendice.)

18. Expressing quantity: Partitive articles

A. *Au marché.* Un client écoute la recommandation des marchands et demande des produits. Jouez le
rôle du client en suivant les modèles. (La réponse donnée est une réponse suggérée.)

MODÈLES: Le vin rouge est excellent. → <u>Bon, du vin rouge, s'il vous plaît.</u>

Les fraises sont très bonnes. → <u>Alors, des fraises, s'il vous plaît.</u>

1. ...   2. ...   3. ...   4. ...   5. ...   6. ...

B. *Quels sont les ingrédients?* Vous êtes chef et vous avez un programme à la télévision. Aujourd'hui on
vous pose des questions sur les ingrédients des plats américains typiques. Répondez logiquement en
lisant (*reading*) les indices ci-dessous.

MODÈLE: (viande/œufs) →
          —<u>Est-ce qu'il y a de la viande dans une salade Caesar?</u>
          —<u>Non il n'y a pas de viande, mais il y a des œufs.</u>

1. (olives/chocolat) 2. (bananes/tomates) 3. (oignons/fraises) 4. (poisson/sel) 5. ?

C. *Après le pique-nique.* Y en a-t-il assez (*Is there enough*) pour le dîner? Répondez à la question selon le modèle.

MODÈLE: Il y a de la bière? (un peu) → <u>Oui, il y a un peu de bière.</u>

1. (beaucoup)
2. (un peu)
3. (un litre)
4. (assez)
5. (trop)
6. (trois bouteilles)

19. Giving commands: The imperative

A. *Au restaurant: l'influence des amis.* Écoutez chaque décision d'Albert et jouez le rôle d'un de ses amis qui a des opinions fortes. Utilisez l'impératif.

MODÈLE: Alors, je vais prendre une assiette de légumes... (prendre du pâté) →
<u>Mais non, Albert! Prends du pâté!</u>

1. (manger autre chose)
2. (ne pas choisir ça)
3. (boire du vin)
4. (faire attention à ton budget)
5. (prendre les deux bouteilles et quatre verres)

B. Vous faites du baby-sitting pour Richard et Poupette, vos deux petits cousins. Écoutez deux fois chaque situation et réagissez-y en utilisant l'impératif.

MODÈLE: Il fait mauvais. Richard et Poupette jouent dans la rue. →
<u>Alors, ne jouez pas dans la rue!</u>

1. ...　　2. ...　　3. ...　　4. ...　　5. ...

DEUXIÈME PARTIE

Étude de prononciation

Les groupes rythmiques. En français, les expressions ou groupes de mots sont prononcés comme un mot, sans arrêt (*without a break*). Il y a un léger (*slight*) accent final sur la dernière syllabe du groupe.

1. Répétez les mots individuels et les expressions suivantes.

   • gâteau / de l'eau
   • fromage / elle mange
   • essayons / je dis non
   • croissanterie / je suis Guy
   • organisation / donne-moi des bonbons

   La phrase (*sentence*) française se divise généralement en quelques groupes rythmiques. Ce sont aussi des groupes significatifs (*meaningful*). Chaque groupe est prononcé comme un «long mot» avec l'accent final sur la dernière syllabe.

2. Répétez les phrases suivantes après le speaker. Faites attention aux groupes rythmiques et à l'accent. (Le symbole + marque la fin du groupe rythmique.)

   • J'ai un ami. +
   • J'ai un ami + fidèle. +
   • J'ai un ami + fidèle et enthousiaste. +
   • J'ai un ami + fidèle et enthousiaste + qui habite ici. +
   • J'ai un ami + fidèle et enthousiaste + qui habite ici + à Paris. +

3. Répétez les phrases suivantes. (Le symbole + marque la fin du groupe rythmique.)

   • Tu es au régime? +
   • Encore un peu de bière, + Jean-Louis? +
   • Vous allez bien reprendre + un peu de quiche, + quand même?
   • Elle est vraiment délicieuse, + mais non, merci. +

Situation

Non, merci. Ken dîne avec sa «famille» française, les Girard.

1. Écoutez cette conversation (*Rendez-vous*, p. 158). Faites bien attention à la manière de refuser un plat à table. (Repassez les passages nécessaires.)

2. *Qu'est-ce qu'on dit... pour refuser un plat?* Vous dînez chez un camarade. Les parents de votre ami sont trop généreux... Écoutez leurs propositions deux fois et refusez avec tact. Choisissez une réponse dans la liste suivante. (La réponse donnée est une réponse suggérée.)

MODÈLE: Encore un peu de poulet?→ <u>Non, merci</u>.

Non, pas du tout, mais il y a trop de plats délicieux...
Non, merci. Elle est splendide, mais trois morceaux, pour moi, c'est un peu trop.
Non, merci bien. Elles sont vraiment délicieuses.
Non, merci, j'adore la salade, mais je n'ai plus faim.

1. ...   2. ...   3. ...   4. ...

Prenez l'écoute!

A. *Un chef apprenti* (apprentice). Imaginez que vous êtes chef apprenti au restaurant du Grand Hôtel dans le village de Tence (Haute-Loire) au centre de la France. Voici une spécialité de votre restaurant: l'omelette soufflée à la Verveine du Velay, une liqueur de la région. Arrêtez la bande et prenez le temps de lire les ingrédients suivants.

LE GRAND HOTEL *

TENCE (HAUTE-LOIRE)

OMELETTE SOUFFLÉE
A LA VERVEINE DU VELAY

La Verveine du Velay est une liqueur de cette région ; elle parfume délicieusement cette omelette aussi légère° qu'un soufflé.

light

Pour 6 personnes :

8 œufs séparés	8 biscuits à la cuiller°
200 g de sucre en poudre pour	1/4 l de Verveine du Velay
les jaunes + 2 cuill. à soupe de	4 cuill. à soupe de beurre
sucre en poudre pour les blancs	1 poêle° à omelette

biscuits...
ladyfingers

pan

1. Maintenant, regardez les instructions suivantes qui <u>ne sont pas</u> dans le bon ordre (*the right order*). Écoutez le speaker et mettez les numéros 1 à 5 pour indiquer le bon ordre des instructions.

<u>Note that French recipes generally use the infinitive form rather than the imperative to give instructions.</u>

_____   Mélanger délicatement les deux préparations.

_____   Battre les jaunes d'œuf avec 200 grammes de sucre.

_____   Verser les deux tiers (2/3) de la liqueur de Verveine sur les biscuits.

_____   Couper en morceaux les biscuits.

_____   Monter les blancs d'œuf en neige très ferme avec une pincée de sel, en ajoutant 2 cuillerées de sucre.

2. Maintenant, écoutez le reste des instructions pour trouver les réponses aux questions suivantes. Écrivez les réponses. (Repassez certains passages si nécessaire.)

• Quelle est la température du four (*oven*)? —_____ °C.[1]

• Quel est le temps de cuisson (*cooking time*)? —_____[2] minutes.

• Quelle sorte de plat utilise-t-on pour servir l'omelette? —Un plat de _____.[3]

• Quel vin est-ce qu'on propose pour l'omelette soufflée? —Un _____.[4]

• A votre avis, ce plat est-il un hors-d'œuvre, une entrée, un plat principal ou un dessert? Pourquoi?

—C'est un(e) _____,[5] parce qu' _____.[6]

(Les réponses se trouvent en appendice.)

B. *Et vous*? Imaginez que vous êtes responsable d'organiser certaines fêtes à la résidence des étudiants. Écoutez deux fois les situations et répondez par quelques phrases écrites. (Arrêtez la bande pour écrire.)

1. _____

_____

_____

2. _____

_____

_____

_____

Chapitre 6
On mange bien en France!

PREMIÈRE PARTIE

Étude de vocabulaire

A. *Dans quel magasin...* ? Vous êtes dans une petite ville française avec une camarade américaine. Elle a des courses à faire. Répondez à ses questions selon le modèle. Mots utiles: *la boulangerie, la poissonnerie, la pâtisserie, la charcuterie, l'épicerie, la boucherie.*

      MODÈLE: Où est-ce que j'achète des baguettes et des petits pains? → <u>Eh bien, à la boulangerie.</u>

1. ...   2. ...   3. ...   4. ...   5. ...

B. *Qui est au restaurant?* Écoutez chaque phrase et définissez ces personnes selon le modèle. C'est *un client, une cliente, un serveur* ou *une serveuse?*

      MODÈLE: Mme Gilles et M. Klein prennent leur place à table. → <u>Ce sont des clients.</u>

1. ...   2. ...   3. ...   4. ...   5. ...   6. ...

C. *Une critique gastronomique*

1. Vous cherchez un nouveau restaurant pour dîner ce soir et vous entendez une critique à la radio. Écoutez le speaker et répondez ensuite aux questions. (Repassez les passages nécessaires.)

2. Écoutez deux fois chaque question et répondez-y selon la critique gastronomique. Utilisez les suggestions pour formuler votre réponse.

    1. (raisonnables ou assez chers?)
    2. (escargots de Bourgogne ou haricots au beurre?)
    3. (poulet aux haricots ou veau à la crème?)
    4. (dessert ou salade?)
    5. (la salade n'est pas fraîche ou la sauce vinaigrette n'a pas de goût?)

Maintenant, arrêtez la bande et répondez à la question suivante par écrit.

Qu'en pensez-vous? Voulez-vous bien dîner dans cette brasserie (*restaurant-bar*) ce soir? Pourquoi? Pourquoi pas?

_____

_____

_____

D. *Messages.* Écoutez les messages que vous trouvez à votre répondeur téléphonique. Vous avez besoin de rappeler toutes ces personnes et vous prenez note de leur numéro. (Arrêtez la bande si nécessaire.)

• Claude: _____ - _____ - _____ - _____

• Ginette: _____ - _____ - _____ - _____

• Léonard: _____ - _____ - _____ - _____

• Mireille: _____ - _____ - _____ - _____

(Les réponses se trouvent en appendice.)

E. Jacques et Madeleine discutent des prix chez Fauchon, l'élégant magasin d'alimentation parisien. Écoutez deux fois les prix et complétez le tableau suivant. Attention: les aliments ne sont pas en ordre.

• le pâté de foie gras: _____ F le kilo

• les truffes noires: _____ F les 100 grammes

• le jambon de Parme: _____ F le kilo

• le camembert: _____ F la pièce

• le vin mousseux de Saumur: _____ F la bouteille

(Les réponses se trouvent en appendice.)

Name _____ Date _____ Class _____

F. *La Maison de Jacques.* Arrêtez la bande un moment pour regarder le menu suivant.

La Maison de Jacques vous propose...

Le menu à 45 francs*

L'entrée
(choisissez une entrée)

La soupe de légumes
Les moules marinières

Le plat principal
(choisissez un plat)

L'omelette (au choix)
L'hamburger

Le dessert

Les fruits en saison
Les ananas au sirop
La glace ~ 2 boules
au choix

Vin de maison /
eau minérale /
café /
thé

* Le service de 15% est compris

Le menu à 70 francs*

L'entrée
(choisissez une entrée)

Les escargots (6)
La soupe de légumes
Les moules marinières

Le plat principal
(choisissez un plat)

Le veau à la crème
Le jambon au choux
Le poulet farci
L'hamburger
L'omelette de maison

Le dessert

Les fruits en saison
Le fromage au choix
La glace ~ 3 boules
au choix
Le mystère
Le citron / l'orange givré(e)

Vin de maison /
eau minérale /
café /
thé

Vous êtes à la Maison de Jacques avec deux camarades. Écoutez la serveuse, et les réponses de vos camarades. Ensuite, pour chaque question répondez selon vos préférences.

1. ...   2. ...   3. ...   4. ...   5. ...   6. ...

Étude de grammaire

20. Pointing out people and things: Demonstrative adjectives

A. *Un jeune couple québécois*

1. Écoutez deux fois la conversation. La deuxieme fois, complétez chaque phrase par écrit. (Repassez certains passages, et arrêtez la bande si nécessaire.)

   Mme Brachet et son fils Marcel font une promenade en ville. Ils parlent des projets de mariage de Marcel et de sa fiancée Jeanne. Mme Brachet pose une question à Marcel.

MME BRACHET: Alors, Marcel, _____ ... les parents de Jeanne habitent

ici?

MARCEL: Oh oui, tout près, Maman! Dans _____ , justement.

MME BRACHET: Et toi et Jeanne, vous louez un studio dans _____ , en

face?

MARCEL: Oui, Maman. Regarde _____ et

_____ balcon.

(*Ils montent au cinquième étage* [sixth floor].)

MME BRACHET: Mais _____ , elles sont minuscules! _____

_____, _____ sans rideaux...

MARCEL: Mais voyons, Maman, _____ est bien situé, et nous ne

sommes pas difficiles!

MME BRACHET: Peut-être...

MARCEL: Et comme d'habitude, Jeanne et moi, nous comptons déjeuner chez toi, au moins le

dimanche!

Name _____ Date _____ Class _____

(Le texte complet se trouve en appendice.)

B. Vous êtes un esprit indépendant et vous ne prenez jamais ce qu'on vous offre. Répondez à chaque question selon le modèle.

MODÈLE: Tu as envie de ce sandwich? →
Non, donne-moi plutôt (*rather, instead*) cette tarte!

1.

2.

3.

4.

5.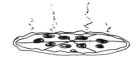

21. Expressing desire, ability, and obligation: The verbs <u>vouloir</u>, <u>pouvoir</u>, and <u>devoir</u>

A. Mettez *pouvoir*, *devoir* ou *vouloir* à la forme affirmative ou à la forme négative selon les indications.

MODÈLE: J'achète des vêtements. (ne pas vouloir) → <u>Je ne veux pas acheter de vêtements.</u>

1. (pouvoir)
2. (ne pas devoir)
3. (devoir)
4. (vouloir bien)
5. (ne pas vouloir)

B. *Déjeuner à la cafétéria*

1. D'abord, écoutez ce passage en regardant le dessin. (Repassez certains passages si nécessaire.)

2. Écoutez chaque question deux fois et répondez-y selon l'histoire ou selon votre situation personnelle. (La réponse donnée est une réponse suggérée.)

> MODÈLE: Aujourd'hui, est-ce que Louise peut payer son déjeuner? →
> <u>Non, elle ne peut pas payer son déjeuner.</u>

1. ...   2. ...   3. ...   4. ...   5. ...   6. ...

C. *Probabilités.* Écoutez deux fois la phrase et donnez une explication choisie dans la liste suivante. Utilisez le verbe *devoir* selon le modèle.

> MODÈLE: Marie n'est pas en classe. (être malade) → <u>Elle doit être malade.</u>

(être fatigué)	(être formidable)
(avoir faim)	(être impatient)
(être prudent)	(être malade)

22. Asking about choices: The interrogative adjective <u>quel</u>

La curiosité. Réagissez aux situations décrites par le speaker. Posez une question appropriée selon le modèle. (La réponse donnée est une réponse suggérée.)

> MODÈLES: Vous ne savez pas quel jour il est aujourd'hui. →
> <u>Quel jour sommes-nous aujourd'hui?</u>
>
> Vous voulez savoir quels films votre camarade préfère. →
> <u>Quels films préfères-tu?</u>

1. ...   2. ...   3. ...   4. ...   5. ...

23. Describing people and things: The placement of adjectives

A. *Voisines.* Écoutez le dialogue en cherchant les réponses aux questions suivantes. (Repassez certains passages si nécessaire.)

Antoinette, une jeune étudiante belge, parle avec sa voisine, Mme Michel, une dame d'un certain âge, qui habite avec son chien et ses chats. Mme Michel a l'air triste.

Vrai ou faux?

_____ 1. Mme Michel peut déjeuner au café aujourd'hui.

_____ 2. La nourriture pour animaux coûte cher.

_____ 3. Mme Michel cherche un nouvel appartement.

_____ 4. Antoinette a de la sympathie pour sa voisine.

_____ 5. Mme Michel a un nouveau propriétaire.

_____ 6. Mme Michel est allergique à son vieux chien.

_____ 7. C'est la première fois que Mme Michel a ce problème.

(Les réponses se trouvent en appendice.)

B. Écoutez deux fois ces remarques puis dites le contraire en changeant l'adjectif.

MODÈLE: C'est un vieil appartement. → <u>Non, c'est un nouvel appartement.</u>

1. ...   2. ...   3. ...   4. ...   5. ...   6. ...

DEUXIÈME PARTIE

Étude de prononciation

L'enchaînement (Word linking)

1. Les groupes rythmiques français sont prononcés sans interruption. En général, une consonne prononcée est rattachée à la syllabe suivante si elle commence par une voyelle. Répétez:

   un vieil arbre   Paul est là-bas.

   une petite amie fidèle   Corinne adore Henri.

2. La *liaison* est un cas d'enchaînement. Certaines consonnes qui sont normalement muettes (*usually silent*) sont prononcées si la syllabe suivante commence par une voyelle. Répétez:

   deux étudiants québécois

   dans une croissanterie

   mes anciens amis

   attend-elle là-bas?

   (L'étude de la liaison va être reprise dans le Chapitre 9 de ce manuel.)

3. Répétez les phrases suivantes. Faites attention à l'enchaînement.

   • Je voudrais une crêpe au Grand-Marnier.

   • C'est pour emporter ou pour manger ici?

   • Tu veux une glace au chocolat?

Situation

Déjeuner sur le pouce. Sébastien et Corinne achètent leur déjeuner dans une croissanterie.

1. Écoutez cette conversation (*Rendez-vous*, p. 188). Faites bien attention à la manière de commander un repas au snack-bar.

2. *Qu'est-ce qu'on dit... au snack-bar?* Imaginez que vous commandez un repas au snack-bar. Écoutez les questions de la serveuse et la réponse d'un camarade. Ensuite, donnez votre réponse personnelle, selon vos goûts. (Il n'y a pas de réponse suggérée.)

> MODÈLE: Vous désirez? —Une saucisse au fromage, s'il vous plaît. →
> <u>Et pour moi, une crêpe au sucre.</u>

1. ...   2. ...   3. ...   4. ...   5. ...   6. ...

Prenez l'écoute!

Les promotions du mois

1. Vous habitez un appartement avec trois autres étudiants. Vous avez un nouveau congélateur (*freezer*). C'est vous qui faites le marché. Arrêtez la bande pour regarder la publicité suivante.

Les promotions du mois chez Picard Surgelés   carte bleue CB

Poivrons verts et rouges mélangés en dés, Espagne. Sac de 1 kg	~~13,70~~	**12,10**
Poisson Thaï au lait de coco, avec riz printanier, Thaïlande, (le kg 58,44 F). Boîte de 450 g	~~29,20~~	**26,30**
Chili con carne, bœuf et légumes avec épices fortes à part, Mexique (le kg 61,42 F). Boîte de 350 g	~~23,90~~	**21,50**
Jus d'oranges sanguines pressées de Sicile (le l 18,00 F). Etui de 20 cl	~~4,20~~	**3,60**
Jus d'oranges sanguines pressées de Sicile (le l 15,00 F). Etui de 60 cl	~~10,60~~	**9,00**
Eclairs (2 café, 2 chocolat) 60 g, Patigel (le kg 53,75 F). Boîte de 4	~~15,20~~	**12,90**
Croissants feuilletés, pur beurre, cuits, 40-45 g (le kg 38,75 F). Sachet de 12	~~21,90~~	**18,60**
Café Liégeois, Thiriet, 135 ml (le litre 27,77 F). Boîte de 4	~~17,70~~	**15,00**
Crème vanille, Mövenpick, crème glacée vanille avec crème. Boîte de 1 litre	~~29,80~~	**25,30**

Bifteck bavette Bigard, 130 g env. Sac de 8. Le kg	~~75,70~~	**68,10**
Côtes de porc échine Bigard, 140 g env. (le kg 32,00 F). Sac de 1,3 kg	~~46,30~~	**41,60**
Côtes de porc première et filet Bigard, 140 g. env. (le kg 32,00 F). Sac de 1,3 kg	~~46,30~~	**41,60**
Rôti de veau épaule, sans barde, Bigard, 1 kg environ. Le kg	~~58,20~~	**52,40**
Petits pois doux extra-fins (le kg 10,00 F). Sac de 2,5 kg	~~28,40~~	**25,00**
Haricots mange-tout mi-fins (le kg 7,76 F). Sac de 2,5 kg	~~22,10~~	**19,40**

Vos camarades Étienne (E), Solange (S) et Jean-Marc (J), veulent tous des aliments différents. Écoutez vos trois camarades, puis trouvez les aliments sur la publicité et marquez «E», «S» ou «J». Écrivez aussi la quantité.

Maintenant, arrêtez la bande pour compléter le tableau suivant.

Regardez la publicité ci-dessus avec les quantités marquées. Pour chacun de vos camarades, mettez le prix (x la quantité) de chaque aliment qu'il veut, et calculez le total.

ÉTIENNE	SOLANGE	JEAN-MARC
_____	_____	_____
_____	_____	_____
_____	_____	_____

TOTAL _____   _____   _____

(Les réponses se trouvent en appendice.)

2. *Et vous*? Arrêtez la bande pour regarder les deux publicités. Ensuite, écoutez deux fois les questions et répondez-y par écrit.

Poulet classe A, sans abats, 1,2 kg environ. Le kg	~~20,80~~ **18,70**	**Feuilletine de veau** à l'orange, sauce porto, M. Guérard (le kg 92,50 F). Boîte de 440 g ~~45,20~~ **40,70**
Poulet classe A, sans abats, 1,5 kg environ. Le kg	~~20,80~~ **18,70**	**Cannelloni** (le kg 34,44 F). Boîte de 450 g ~~18,20~~ **15,50**
Rôti de dindonneau, sans barde, Pièce de 1 kg	~~34,50~~ **31,00**	**Tarte Tatin,** Ninon, 450 g, 4 parts (le kg 44,22 F). Pièce ~~23,40~~ **19,90**
Paupiettes de dindonneau, 120 g env. Sac 1 kg	~~26,40~~ **23,80**	**Fraises** entières, France. Sac de 1 kg ~~23,70~~ **21,00**
Escalopes de poulet «Provençale», 125 g (le kg 51,60 F). Boîte de 2	~~14,40~~ **12,90**	**Pâte feuilletée,** pur beurre, 2 plaques de 250 g (le kg 18,40 F). Sachet de 500 g ~~10,80~~ **9,20**
Epinards hachés, tablettes 6 g environ. Sac de 1 kg	~~8,60~~ **7,60**	**Poire Belle-Hélène,** Miko, 125 ml (le litre 27,40 F). Boîte de 4 ~~16,10~~ **13,70**
Choux-fleurs en fleurettes. Sac de 1 kg	~~12,50~~ **11,00**	**Chocolat Liégeois,** Thiriet, 135 ml (le litre 27,77 F). Boîte de 4 ~~17,70~~ **15,00**
Chou vert, 2 plaques de 500 g. Sac de 1 kg	~~13,10~~ **11,80**	
Pommes de terre en cubes à rissoler, préfrites Sac de 1 kg	~~9,80~~ **8,60**	
Purée de carottes, tablettes de 6 g environ. Sac de 1 kg	~~13,20~~ **11,60**	

1. _____

_____

2. _____

_____

3. _____

_____

4. _____

_____

Chapitre 7 Vive les vacances!

PREMIÈRE PARTIE

Étude de vocabulaire

A. Ma cousine Chantal est sportive et grande voyageuse. Qu'est-ce qu'elle fait en vacances? Écoutez les questions deux fois et répondez suivant le modèle. (Les réponses données sont des réponses suggérées.)

MODÈLE: Que fait Chantal sur le fleuve? → <u>Elle fait du bateau.</u>

1.

2.

3.

4.

5.

B. *De quoi Chantal a-t-elle besoin?* Arrêtez la bande et regardez les dessins ci-dessus (*above*). Ensuite, écoutez deux fois la question et rayez (*cross out*) la chose qui *n'est pas nécessaire* pour l'activité de Chantal.

1. d'une voiture / d'une ceinture de sauvetage / d'un chapeau
2. d'huile solaire / d'une plage / de mauvais temps
3. d'un maillot de bain / d'une raquette / d'un masque
4. d'un sac de couchage / de chaussures à hauts talons / de provisions
5. d'une lampe de poche / d'un vêtement isothermique / d'une planche
6. d'un sac à dos / d'un sac de couchage / de lunettes de soleil

(Les réponses se trouvent en appendice.)

C. *Un peu d'histoire européenne.* Encerclez l'année que vous entendez.

• La victoire de Charlemagne contre les Saxons	(785)	885
• La fondation de l'Université de Paris	1142	1120
• La première croisade (*Crusade*)	1096	1076
• La mort (*death*) de Jeanne d'Arc	1431	1471
• La Guerre (*War*) de sept ans	1776	1756
• L'exécution de Louis XVI	1793	1796
• L'abdication de Napoléon	1814	1804

(Les réponses se trouvent en appendice.)

D. *Années importantes.* Écoutez les questions deux fois. Trouvez l'année sur la liste et prononcez-la.

1789	1865	1903
1776	1492	1620

1. ...   2. ...   3. ...   4. ...   5. ...   6. ...

E. *Mes vacances.* Des camarades discutent de leurs vacances préférées. Écoutez la question et les réactions de deux amis. Ensuite, répondez vous-même à la question.

1. ...   2. ...   3. ...   4. ...   5. ...

Étude de grammaire

24. Expressing actions: <u>dormir</u> and similar verbs; <u>venir</u> and <u>tenir</u>

A. Utilisez le nouveau sujet et faites les changements nécessaires.

MODÈLE: Jeanne sort-elle ce soir? (vous) → <u>Sortez-vous ce soir?</u>

1. (Jacqueline)   4. (je)
2. (les enfants)   5. (vous)
3. (cette famille)

B. *Aimes-tu dormir sous les étoiles* (stars)? Michèle et Édouard sont plus aventureux que leur ami Jean-Pierre.

    1.   Écoutez ce dialogue. Notez bien les projets de Michèle et d'Édouard, et aussi de leur ami Jean-Pierre.

    2.   *A qui ressemblez-vous?* A Michèle et à Édouard, ou bien à Jean-Pierre? Écoutez les questions de Michèle deux fois et donnez votre réponse. (Il n'y a pas de réponse suggérée.)

1. ...   2. ...   3. ...   4. ...

C. *Aventures récentes.* Regardez les images en écoutant la description. Ensuite, répondez à la question en utilisant l'expression *venir de* + infinitif. (La réponse donnée est une réponse suggérée.)

Georges

Marie-France

Mme Laronde

Sylvie

1. ...   2. ...   3. ...   4. ...

Name _____ Date _____ Class _____

25. Talking about the past: The passé composé with avoir

A. *Une journée de vacances.* Cette année, Bernard Meunier a passé ses vacances à l'Hôtel de la Mer à Deauville.

1. Voici ce que Bernard a fait le jour après son arrivée. Écoutez l'histoire et mettez les images suivantes en ordre en marquant 1, 2, 3 et 4.

2. Ce soir-là un camarade téléphone à Bernard. Écoutez chaque question deux fois et répondez-y en utilisant le passé composé. (Les réponses données sont des réponses suggérées.)

1. ...   2. ...   3. ...   4. ...   5. ...

B. *Dictée: La météo.* Votre camarade Raoul aime beaucoup faire des excursions à bicyclette le week-end. Le week-end dernier, il est parti avec une camarade. Voici le récit de leurs aventures.

1. Écoutez deux fois ce passage: la première fois sans interruption, et la deuxième fois avec des pauses. Complétez chaque phrase par écrit.

Il y a trois jours _____ faire une promenade à bicyclette à la campagne.

J'ai allumé la radio pour écouter la météo.

«Aujourd'hui, _____ en montagne.

_____ .»

A cause du beau temps, _____.

_____ des sandwichs et notre appareil-photo (*camera*), et

_____ la ville vers (*around*) onze heures. Mais après une demi-heure de

route, _____. _____ pleuvoir. Heureusement,

_____ près de la route. Quelle chance! Les

bicyclettes? _____ les bicyclettes dans le garage. Le déjeuner?

_____! Et la météo?

_____!

(Le texte complet se trouve en appendice.)

2. Écoutez deux fois les affirmations et encerclez V (vrai) ou F (faux) selon l'histoire que vous avez entendue.

1. V   F   3. V   F
2. V   F   4. V   F

(Les réponses se trouvent en appendice.)

26. Expressing <u>how long</u>: <u>depuis, pendant</u>

Nouveaux intérêts. Bernard Meunier était (*was*) en vacances. Un soir, une semaine après son arrivée à Deauville, il a commencé à parler avec une jeune fille qui s'appelle Sophie.

1. Écoutez leur conversation.

2. *Une interrogation.* Après son retour de vacances, Sophie rencontre (*meets*) une camarade qui veut tout savoir. Écoutez deux fois ses questions et encerclez l'expression correcte dans chaque réponse.

1. Je suis de retour <u>depuis / pendant / il y a</u> quelques jours seulement.

2. <u>Depuis que / Pendant que / Il y a que</u> je suis de retour, je pense à un bon ami...

3. <u>Depuis / Pendant / Il y a</u> mes vacances j'ai fait la connaissance d'une personne formidable.

4. Nous avons parlé pour la première fois <u>depuis / pendant / il y a</u> deux semaines.

5. Ce soir là, nous avons discuté <u>depuis / pendant / il y a</u> des heures et des heures.

(Les réponses se trouvent en appendice.)

Name _____ Date _____ Class _____

etc.

Name _____ Date _____ Class _____

27. Expressing observations and beliefs: <u>voir</u> and <u>croire</u>

Une rencontre fantastique. Un soir, dans un chalet en montagne, Jean-Paul a eu une expérience terrifiante.

1. Écoutez l'histoire en regardant le dessin. Ensuite, faites l'exercice qui suit.

2. Maintenant écoutez les questions et encerclez la lettre correspondant à la réponse correcte.

    1. a. Les étoiles et les planètes.
       b. Des jumelles.
       c. Des extraterrestres.
    2. a. Un avion.
       b. Des fenêtres.
       c. Deux créatures.
    3. a. Oui, il en croit ses yeux.
       b. Non, il n'en croit pas ses yeux.
       c. Ce sont des voisins qui descendent.
    4. a. Les extraterrestres.
       b. Les voisins.
       c. Les étoiles.
    5. a. Oui, toujours.
       b. Non, pas généralement.
       c. Ses parents ont raconté certaines histoires.
    6. a. Non, certainement pas, à son avis.
       b. Oui, ils y croient.
       c. Oui, cela arrive souvent.

(Les réponses se trouvent en appendice.)

Maintenant, arrêtez la bande et répondez aux questions dans votre cahier.

1. Avez-vous vu ou entendu des histoires d'extraterrestres? Expliquez.

_____

_____

2. En général, croyez-vous aux histoires d'extraterrestres? Pourquoi? Pourquoi pas?

_____

_____

DEUXIÈME PARTIE

Étude de prononciation

L'intonation déclarative, exclamative et impérative. L'<u>intonation</u> c'est la montée ou la descente de la voix dans une phrase ou dans une question. L'intonation exprime (*expresses*) les émotions et les intentions de la personne qui parle. Répétez:

> Bonjour, Monsieur.
> Quel beau chat!
> Comment s'appelle-t-il?
> Donnons-lui à manger!

1. Dans une phrase déclarative, l'intonation monte à l'intérieur de chaque groupe rythmique. L'intonation descend à la fin de la phrase, dans le dernier groupe rythmique. Répétez les phrases suivantes:

   - Je m'appelle Marcel Martin.

   - J'ai mon sac de couchage.

   - Il y a de la place dans le petit dortoir.

   - Eh bien, c'est d'accord.

2. L'intonation est assez élevée (*high*) au commencement des phrases exclamatives et impératives, et elle descend à la fin de la phrase. Répétez les phrases suivantes:

   - Quelle ville charmante!

   - Que tu es gentil!

   - Allons voir l'auberge!

   - Ne rentrez pas trop tard!

Situation

Une nuit à l'auberge de jeunesse. Sean demande une place dans l'Auberge de Jeunesse de Caen, en Normandie.

1. Écoutez cette conversation (*Rendez-vous*, p. 224). Faites bien attention à l'interaction entre l'étudiant et la dame à la réception.

2. *Qu'est-ce qu'on dit... à l'hôtel?* Vous arrivez à l'hôtel et vous discutez avec la propriétaire. Écoutez deux fois les questions du client et donnez la réponse correspondante tirée de la liste suivante.

MODÈLE: Bonsoir Madame, vous avez encore de la place pour cette nuit? →
<u>Oui, nous avons encore deux chambres à un lit.</u>

Oui, nous avons encore deux chambres à un lit.
A partir de sept heures et quart.
Oui, il y a un restaurant au rez-de-chaussée.
Elles sont au fond du couloir à l'étage.
A onze heures et demie—et j'aime bien dormir, moi!
Pour une chambre à un lit, c'est 80 francs la nuit.

1. ...   2. ...   3. ...   4. ...   5. ...

Prenez l'écoute!

A. *Un test:* **Quel est votre style de vacances?** Vous allez participer à un test psychologique. Les résultats de ce test indiquent quelles vacances vous conviennent le mieux (*suit you best*).

D'abord, arrêtez la bande pour compléter le test suivant. Lisez les possibilités et encerclez la lettre correspondant à la réponse que vous aimez le mieux.

Quel est votre style de vacances?

1. Pour vous les vacances, c'est d'abord...
   a. dormir et se reposer. △ ☆
   b. s'amuser, se divertir, jouer. ○ ○ ☆
   c. être actif, participer aux sports. ○ □ ☆
2. Vous aimez bien...
   a. parler de vos aventures. ○ □ ☆
   b. prendre des photos. △ □ ○
   c. faire la connaissance de nouvelles personnes. ○ ○ ☆
3. Pour vous, avoir des amis, c'est...
   a. parler de tout (*everything*) avec eux (*them*). △ △ ○
   b. jouer avec eux. ○ ○ ☆
   c. avoir des problèmes. △ △ □
4. A l'école ou à l'université, vous préférez...
   a. étudier. △ □
   b. faire le clown. ○ ○ ○
   c. ne pas y aller de tout. △ □ ☆
5. Les professeurs sont pour vous...
   a. des amis. ○ ○ □
   b. des ennemis. △ △ □
   c. des personnes sans intérêt. △ ☆
6. Vous préférez avoir des professeurs...
   a. de sexe masculin. □ ○
   b. de sexe féminin. △ ☆ ☆
   c. des deux sexes. ○ ○

7. Quand il n'y a pas classe...
   a. vous restez chez vous. △ □
   b. vous sortez avec des amis. ○ ○ ☆
   c. vous faites une promenade seul(e) (*alone*). □ △ △
8. Vous préférez...
   a. donner des ordres. ○ ○ □
   b. recevoir des ordres. △ □ □
   c. ni (*neither*) donner ni recevoir d'ordres. □ ☆ △
9. Quand on vous dit de <u>ne pas</u> faire quelque chose...
   a. vous ne faites pas cette chose. ○ □
   b. vous faites quand même (*anyway*) cette chose. △ △
   c. vous voulez savoir pourquoi. □ ○ ☆
10. Le jour de votre anniversaire, vous préférez recevoir...
    a. un ballon de foot (*soccer*). ○ ☆
    b. une paire de patins à roulettes (*roller skates*). ○ ☆ □
    c. un dictionnaire. □ △

Maintenant, la bande toujours arrêtée, indiquez le nombre de cercles ○ ____, de triangles △ ____,

de carrés □ ____ et d'étoiles ☆ ____ qui se trouvent dans les réponses que vous avez encerclées.

Quels sont les *deux* symboles que vous avez en majorité? _____ et _____.

Écoutez l'interprétation et répondez par écrit aux questions suivantes.

1. Quelles sortes de vacances devez-vous choisir? Colonie de vacances (*summer camp*)? ____ Ou

   autre? _____

2. Pourquoi? Nommez vos qualités ou habitudes qui déterminent ce choix.

   _____

   _____

Maintenant, écoutez l'interprétation des résultats.

B. *Et vous*? Un reporter vous interviewe pour le magazine *Jeunesse/Vacances*. Donnez votre réponse à chaque question posée deux fois. Si possible, terminez chaque réponse par un détail raconté au passé composé.

   MODÈLE: Où passes-tu normalement tes vacances? →
   <u>Eh bien, à la plage avec des amis. L'été dernier, j'ai aussi travaillé dans un</u>
   <u>supermarché.</u>

   1. _____

   2. _____

   3. _____

Chapitre 8
Voyages et transports

PREMIÈRE PARTIE

Étude de vocabulaire

A. *Un voyage d'affaires*

1. Le mois passé, Solange a fait un voyage d'affaires. Qu'est-ce qu'elle a fait avant (*before*) et pendant son vol? Écoutez l'histoire de Solange.

2. Jouez le rôle de Solange. Écoutez deux fois les questions d'une collègue, et répondez oralement selon l'histoire.

MODÈLE: Pourquoi as-tu fait ce voyage? (J'ai eu une réunion d'... en...) →
<u>J'ai eu une réunion d'affaires en Belgique.</u>

1. (...)
2. (J'ai demandé la...)
3. (Le/L'...)
4. (Après dîner, ...)

B. *Arrivées.* Vous travaillez pour une compagnie aérienne internationale. Aidez votre collègue à compléter le tableau suivant. Écoutez deux fois les informations, trouvez le numéro du vol et écrivez les informations manquantes (*missing*). (A noter: le tableau ne suit pas [*does not follow*] l'ordre des informations.)

N° DU VOL	ARRIVE DE/DU/DES	HEURE D'ARRIVÉE
61	_____	9 H 40
74	_____	13 H 30
79	_____	_____
81	Russie	_____
88	_____	_____
93	Maroc	17 H 15
99	Mexique	_____

(Les réponses se trouvent en appendice.)

MODÈLE: Le vol numéro quatre-vingt-treize arrive du Maroc à dix-sept heures quinze.

C. *Conduire en Europe.* Arrêtez la bande pour regarder les panneaux (*signs*) internationaux. Ensuite, écoutez deux fois leur explication. Devinez (*Guess*) si nécessaire les mots nouveaux. Mettez la lettre correspondant au panneau logique.

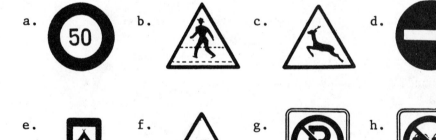

MODÈLE: N'entrez pas; sens interdit. → <u>d</u>

1. _____   4. _____

2. _____   5. _____   7. _____

3. _____   6. _____

(Les réponses se trouvent en appendice.)

D. *Et vous*? Imaginez que vous voyagez en avion. Écoutez les questions posées par l'hôtesse ou le steward. Écoutez les réponses de deux autres passagers et répondez à la question.

1. ...   2. ...   3. ...   4. ...   5. ...

Étude de grammaire

28. Talking about the past: The passe composé with être

A. *Au secours*! (Help!)

1. Arrêtez la bande et regardez cette série d'images. Qu'est-ce qui est arrivé à Michèle et à son ami Jean-François?

Maintenant écoutez l'histoire et répondez aux questions qui suivent.

Jean-François vient de téléphoner à son amie Michèle. Le pauvre Jean-François est dans un embouteillage (*traffic jam*)... près du Boulevard Saint-Michel.

2. Jouez le rôle de Michèle. Écoutez deux fois les questions posées et répondez selon l'histoire. Dans votre réponse, utilisez une des idées proposées.

MODÈLE: Quand es-tu partie? (immédiatement/une heure plus tard) →
          Je suis partie immédiatement.

1. tomber / presque (*almost*) tomber
2. dans sa voiture / dans la rue
3. en voiture / en moto
4. dans un parking / dans la rue

B. *Premier voyage*

1. Maryvonne, qui a douze ans, voyage seule pour la première fois. Écoutez les conseils (*advice*) que son père lui a donnés avant son départ.

2. Trois jours plus tard, Maryvonne écrit une carte postale à son père. Elle lui raconte <u>au passé</u> les choses qu'elle a faites.
   Repassez la bande pour écouter encore une fois le père de Maryvonne. Ensuite, complétez sa carte postale par écrit au passé composé. (Arrêtez la bande si nécessaire.)

Cher Papa,

Oui, à la gare j'ai attendu sur le quai. Je/J' _____ ma valise. Je/J' _____ dans le

train. Je/J' _____ à Lyon. Je/J' _____ nos amis.

Je/J' _____ Tante Lucie. Et maintenant, Papa, j'ai envie de rentrer. Est-ce

que tu peux venir me chercher?

Gros bisous,

Maryvonne

(Les réponses se trouvent en appendice.)

29. Expressing location: Using prepositions with geographical names

A. *Souvenirs de voyage.* Arrêtez la bande et regardez l'itinéraire de Nicolas. Ensuite, répondez aux questions que vous allez entendre deux fois. Utilisez *à, au, aux* ou *en* + le nom de l'endroit.

le 10 juin: Départ pour le Canada	le 5 juillet (23 h): Arrivée à Boston
le 11 juin: Arrivée à Montréal, Québec	du 15 juillet jusqu'au 15 août: Visite de la Californie
le 5 juillet (22 h): Départ pour les États-Unis	le 15 août: Départ pour la France

MODÈLE: Où Nicolas est-il parti le 10 juin? → <u>Au Canada.</u>

1. ...   2. ...   3. ...   4. ...   5. ...   6. ...

B. *Voyages de rêve* (dream). Écoutez deux fois les projets de voyage décrits. Imaginez la destination de ces étudiants selon le modèle.

MODÈLE: Sylvie veut voir des ruines mayas et aztèques en Amérique. Où va-t-elle? →
<u>Au Mexique.</u>

1. ...   2. ...   3. ...   4. ...   5. ...   6. ...

C. *La rentrée*. Ces personnes rentrent de voyage. Dites d'où elles arrivent en suivant le modèle.

Cybèle   Monique   Gérard   Florence   Joseph

MODÈLE: Cybèle arrive d'Amérique du Sud. On parle portugais dans le pays qu'elle a visité. A Rio, une ville importante, on célèbre le carnaval du Mardi Gras au mois de février. D'où vient Cybèle? → <u>Elle vient du Brésil.</u>

1. ...   2. ...   3. ...   4. ...

30. Expressing negation: Affirmative and negative adverbs

Voici Paul, un jeune homme heureux. Il semble toujours réussir dans la vie, mais son cousin Pierre n'a vraiment pas de chance. Écoutez deux fois la description de la vie de Paul et comparez sa vie à la vie de Pierre. Utilisez *ne... pas encore* ou *ne... plus*.

MODÈLES: Paul a déjà un bon salaire. → <u>Mais Pierre n'a pas encore de bon salaire.</u>

Paul a encore ses cheveux. → <u>Mais Pierre n'a plus ses cheveux.</u>

1. ...   2. ...   3. ...   4. ...   5. ...

31. Expressing negation: Affirmative and negative pronouns

A. *La vie en noir*. Vous êtes toujours pessimiste. Écoutez deux fois chaque question posée par vos collègues au bureau lundi matin et répondez par une simple négation: *rien, personne* ou *jamais*.

> MODÈLES: Qu'est-ce que tu as fait samedi soir? → <u>Rien.</u>
>
> Vas-tu parfois danser le week-end? → <u>Jamais.</u>
>
> Qui t'a invité à dîner cette semaine? → <u>Personne.</u>

1. ... 2. ... 3. ... 4. ... 5. ...

B. *Minuit*. Regardez le dessin et écoutez deux fois chaque question. Répondez avec *ne... personne* ou *ne... rien.*

> MODÈLE: Y a-t-il quelqu'un sur le quai? →
> <u>Non, il n'y a personne sur le quai.</u>

1. ... 2. ... 3. ... 4. ...

DEUXIÈME PARTIE

Étude de prononciation

L'intonation interrogative. L'<u>intonation</u>, c'est la montée ou la descente de la voix dans une phrase ou dans une question.
    Dans une question <u>à réponse affirmative ou négative</u>, l'intonation monte à la fin de la question. Répétez les questions suivantes.

> Ça va? Tu viens?
>
> Est-ce qu'elle est touriste? As-tu les billets?

Dans une question <u>d'information</u>, l'intonation commence à un niveau (*level*) déjà élevé, et elle descend à la fin de la question. Répétez les questions suivantes.

> Comment allez-vous? Qu'est-ce que c'est?
>
> Quand arrive-t-on? Pourquoi ne pars-tu pas?

Situation

En voiture! Geoffroy achète un billet de train.

1. Écoutez cette conversation (*Rendez-vous*, p. 258). Faites bien attention aux questions posées par Geoffroy.

2. *Qu'est-ce qu'on dit... au guichet?* Vous voulez acheter un billet de train. Écoutez deux fois l'indication et cherchez dans la liste suivante la question à poser.

   MODÈLE: Qu'est-ce qu'on dit pour savoir l'heure du prochain train? →
   <u>A quelle heure est le prochain train?</u>

   Je peux régler par chèques de voyage?
   Combien coûte un billet aller-retour?
   De quel quai part mon train?
   Quel est le numéro du compartiment?
   J'aimerais réserver une place en deuxième, s'il vous plaît.
   A quelle heure est le prochain train?

   1. ...   2. ...   3. ...   4. ...   5. ...

Prenez l'écoute!

A. *Une croisière* (cruise). Vous avez décidé d'accompagner votre camarade Simone en voyage. Aujourd'hui, vous allez avec elle dans une agence de voyages. Arrêtez la bande et étudiez la brochure suivante. Lisez les informations à gauche et tracez l'itinéraire sur la carte.

DU KENYA
A L'OCEAN INDIEN

(Visa du Kenya obligatoire)

PROGRAMME C • Paris - Djibouti / Port Louis - Paris
du samedi 5 Novembre au lundi 28 Novembre

•

23 JOURS A PARTIR DE 29 210 FF

JOUR		ITINÉRAIRE	ARRIVÉE	DÉPART
SAMEDI	5 NOV.	ENVOL DE PARIS EN DÉBUT DE MATINÉE.		
		ARRIVÉE A DJIBOUTI DANS L'APRÈS-MIDI.		
		ACCUEIL ET TRANSFERT A BORD DE MERMOZ.		24 H 00
JEUDI	10 NOV.	PORT VICTORIA (MAHÉ-SEYCHELLES)	07 H 00	24 H 00
VENDREDI	11 NOV.	PRASLIN (SEYCHELLES)	07 H 00	19 H 00
SAMEDI	12 NOV.	PORT VICTORIA (MAHÉ-SEYCHELLES)	07 H 00	13 H 00
MARDI	15 NOV.	MOMBASA (KENYA)*	06 H 00	–
MERCREDI	16 NOV.	Le safari TSAVO-AMBOSELI est compris		
JEUDI	17 NOV.	dans le prix de la croisière		
VENDREDI	18 NOV.	MOMBASA (KENYA)*	–	21 H 00
DIMANCHE	20 NOV.	MORONI (GRANDES COMORES)	08 H 00	18 H00
LUNDI	21 NOV.	MAYOTTE (COMORES FRANÇAISES)	07 H 00	18 H 00
MARDI	22 NOV.	NOSY BE (MADAGASCAR)	09 H 00	18 H00
MERCREDI	23 NOV.	DIEGO SUAREZ (MADAGASCAR)	08 H 00	18 H 00
VENDREDI	25 NOV.	POINTE DES GALETS (RÉUNION)	13 H 00	
SAMEDI	26 NOV.	POINTE DES GALETS (RÉUNION)	–	20 H 00
DIMANCHE	27 NOV.	PORT LOUIS (MAURICE)	07 H 00	
		Débarquement dans la matinée.		
		Déjeuner à l'hôtel SAINT-GÉRAN.		
		Envol pour PARIS dans l'après-midi.		
LUNDI	28 NOV.	PARIS ARRIVÉE DANS LA MATINÉE.		

• * AU COURS DE CETTE ESCALE, LE SÉJOUR A TERRE « SAFARI TSAVO-AMBOSELI » - KENYA 1
- EST COMPRIS DANS LE TARIF DE LA CROISIÈRE (VOIR DÉTAILS PAGE 15)
• EXCURSIONS VOIR PAGES 12 ET 13

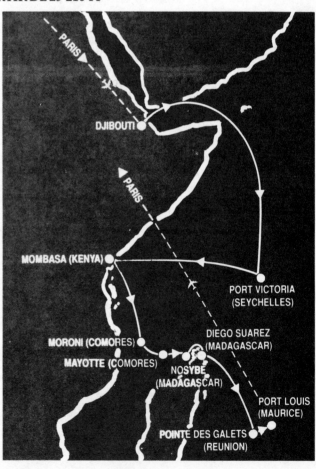

6

Name _____ Date _____ Class _____

Vous êtes un peu anxieux (-ieuse) de cette croisière. Écoutez la conversation entre Simone et l'employé de l'agence. Suivez l'itinéraire sur la carte et prenez des notes pour compléter les informations suivantes.

1. Durée du voyage _____

2. Dates de départ et de retour _____

3. Prix _____

4. Moyens de transport _____

5. Nom du bateau _____

6. Le temps (*weather*) prévu _____

7. Excursions à terre _____

8. Dernière escale (*port of call*) _____

(Les réponses se trouvent en appendice.)

B. *Et vous?* Écrivez une phrase complète en réponse aux questions posées.

1. _____

2. _____

3. _____

4. _____

Chapitre 9 Bonnes nouvelles

PREMIÈRE PARTIE

Étude de vocabulaire

A. *Activités communicatives.* Écoutez la description des activités, marquez l'image qui correspond à chaque activité et répondez à la question. (La réponse donnée est une réponse suggérée.)

    MODÈLE: Je veux acheter un *Paris-Match*. Où est-ce que je vais? → Tu vas au kiosque.

   a.      b.      c.

    Tu vas au kiosque.

1. a.    b.    c.

2. a.    b.    c.

3. a.    b.    c.

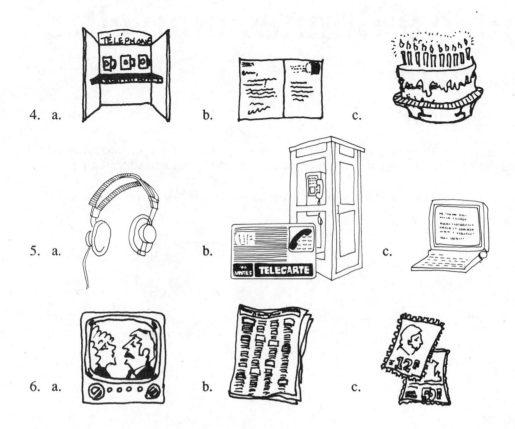

4. a.   b.   c.

5. a.   b.   c.

6. a.   b.   c.

B. *Une journée de travail.* Regardez le dessin, écoutez la définition et encerclez la lettre correspondant à l'expression définie.

MODÈLE: C'est une machine à écrire automatique.

(a.) C'est une imprimante.
b. C'est un clavier.

1. a.   b.   4. a.   b.
2. a.   b.   5. a.   b.
3. a.   b.   6. a.   b.

(Les réponses se trouvent en appendice.)

C. *L'art de communiquer.* Écoutez deux fois les questions posées et donnez une réponse logique. Inspirez-vous du dessin et de vos propres idées. (La réponse donnée est une réponse suggérée.)

> MODÈLE: Le matin, qu'est-ce que le vendeur dit à son client? → <u>Il dit bonjour.</u>

1. ...   2. ...   3. ...   4. ...   5. ...   6. ...

D. *Et vous*? Imaginez que vous utilisez le Télétel, le système d'informations français rattaché au téléphone. On vous interviewe pour savoir quels services vous utilisez le plus. Écoutez les possibilités proposées et dites ce que vous préférez faire, et pourquoi. (Il n'y a pas de réponses suggérées.)

1. ...   2. ...   3. ...   4. ...   5. ...

Étude de grammaire

32. Describing the past: The <u>imparfait</u>

A. *La vie de ma grand-mère.* Écoutez Madame Chabot raconter sa vie, regardez la liste suivante et cochez les activités qu'elle faisait d'habitude quand elle était enfant.

Ma grand-mère...

_____ voyait des amis	_____ écoutait la radio
_____ allait à l'école	_____ aidait ses parents
_____ jouait dans la rue	_____ habitait à la campagne
_____ s'occupait de ses frères et sœurs	_____ plantait le jardin
_____ n'avait pas beaucoup d'argent	_____ lisait beaucoup
_____ faisait le ménage	

(Les réponses se trouvent en appendice.)

Maintenant, arrêtez la bande pour répondre par écrit aux questions suivantes. (Repassez le passage si nécessaire.)

1. Racontez <u>deux</u> activités que Madame Chabot mentionne qui <u>ne sont pas</u> sur la liste ci-dessus.

   _____

   _____

2. Racontez deux choses que <u>vous</u> faisiez comme enfant que Madame Chabot ne faisait pas.

   _____

   _____

B. *Interview avec un musicien célèbre.* Jouez le rôle d'un musicien qui parle de son enfance. Écoutez les questions et répondez selon ce que vous voyez.

1.

2.

3.

4.

5.

6.

33. Speaking succinctly: Direct object pronouns

A. *Personnes et objets.* Écoutez deux fois les affirmations, regardez les possibilités et encerclez la lettre correspondant à l'objet ou à la personne indiqué. (Repassez certaines phrases si nécessaire.)

1. (a.) les informations   b. ma mère
2. a. ma voiture   b. mes devoirs
3. a. les cartes postales   b. la composition d'histoire
4. a. la télé   b. le magnétoscope
5. a. les nouvelles   b. le journal
6. a. mon piano   b. mes petits chats
7. a. notre voisine d'à côté   b. le facteur

(Les réponses se trouvent en appendice.)

B. *Monologue.* Éric Legros fait un stage (*internship*) dans une firme électronique. Pendant la première semaine il s'habitue à exécuter les ordres de la patronne (*boss*). Jouez le rôle d'Éric et dites comment vous réagissez.

    MODÈLE: Elle me dit d'écrire <u>cette lettre</u> → ... <u>et je l'écris.</u>

1. ...   2. ...   3. ...   4. ...   5. ...

34. Talking about the past: Agreement of the past participle

Coup de téléphone. Écoutez la conversation d'Odile en regardant le texte. Ensuite, écoutez-la encore une fois en complétant les verbes que vous entendez au passé composé et à l'imparfait.

Allô Brigitte? Oui, c'est moi... Oui, oui, ça va... mais cet après-midi _____

mes clés (f.) pendant une heure... Oui, je _____ enfin _____ —c'est incroyable—

derrière le sofa et à côté d'une pile de magazines. C'est qu'hier soir mes clés _____ près du

téléphone. Et ce matin je _____ sur ma table de nuit, j'en suis certaine. Mais, à

huit heures, Gérard _____ pour nous inviter à déjeuner. Puisque Monique

_____, je _____ avec moi.

Elles _____ quand les deux chiens des voisins _____

dans l'appartement. Tu ne comprends pas encore?... eh bien... si tu as encore un moment, je peux

t'expliquer le reste...

(Le texte complet se trouve en appendice.)

35. Speaking succinctly: Indirect object pronouns

A. *A qui donnes-tu...* ? Marc quitte son bureau cette semaine pour prendre un nouveau poste. Avant de dire au revoir à ses collègues, il leur donne ou prête certains articles.

1. Écoutez la manière dont (*in which*) Marc distribue ses possessions. Rattachez avec un trait (*link*) l'objet à la personne. Ensuite, répondez aux questions dans la deuxième partie de l'exercice.

MODÈLE: Marc donne son téléphone à Richard.

1. ...   2. ...   3. ...   4. ...   5. ...

(Les réponses se trouvent en appendice.)

2. Maintenant, répondez aux questions posées selon le dessin que vous avez marqué.

    MODÈLE: Qu'est-ce que Marc a donné à Richard? → <u>Il lui a donné son téléphone.</u>

    1. ...   2. ...   3. ...   4. ...   5. ...

B. *Un ordinateur à vendre.* Aimée raconte l'histoire de son amie Sonya qui avait besoin d'un nouvel ordinateur. Écoutez chaque phrase de son histoire. Ensuite, répondez à la question.

> Ordinateur à vendre
> Amstrad
> un lecteur de disquettes
> 64K de RAM
> Utilisable comme Minitel «intelligent»

MODÈLE: Sonya a mis cette petite annonce dans le journal. Où a-t-elle mis cette petite annonce? → <u>Elle l'a mise dans le journal.</u>

1. ...   2. ...   3. ...   4. ...   5. ...

DEUXIÈME PARTIE

Étude de prononciation

La liaison. N'oubliez pas que les syllabes d'un groupe rythmique français sont «enchaînées». La voix ne s'arrête pas (*does not stop*) à l'intérieur d'un groupe. Dans certains cas, la consonne finale muette est prononcée au début du mot suivant commençant par une voyelle. C'est la liaison.

1. Répétez:

    des amis français

    mon idée originale

    six étudiants sénégalais

2. La liaison arrive le plus souvent entre deux mots qui ont un rapport de sens (*meaningful link*). Elle est parfois facultative (*optional*). Faites attention au français parlé pour retrouver d'autres cas de liaison. Répétez les phrases suivantes.

    • Vous avez des idées remarquables!

    • Elle a terminé ses études à l'école.

    • Stéphanie est étudiante à l'institut.

    • Mon ami trouve un poste.

Situation

Coup de fil

1. Voici une conversation entre deux sœurs sénégalaises qui font des études semblables (*similar*). Écoutez cette conversation (*Rendez-vous*, p. 288). Faites bien attention aux expressions qu'on utilise en parlant au téléphone.

2. *Qu'est-ce qu'on dit... au téléphone*? Vous parlez au téléphone. Écoutez deux fois chaque question et réagissez (*react*). Vous pouvez choisir parmi les réponses qui se trouvent dans votre cahier.

Un moment, ne quittez pas.	Allô, j'écoute.
Qui est à l'appareil?	Pouvez-vous rappeler plus tard?
A qui voulez-vous parler?	Voulez-vous attendre?
C'est de la part de...	C'est bien le 40-00-40?

MODÈLE: Le téléphone sonne; vous décrochez le récepteur. Que dites-vous? → <u>Allô, j'écoute.</u>

1. ...   2. ...   3. ...   4. ...   5. ...   6. ...

Prenez l'écoute!

A. *Au Palais des Festivals de Cannes*

1. Écoutez cette conversation entre deux sœurs. (Regardez les questions suivantes avant d'écouter.)

C'est le mois de mai. Caroline Périllat a déjà quitté Paris pour travailler au Palais des Festivals de Cannes. Sa sœur Stéphanie commence en même temps son travail en Floride. Aujourd'hui, Stéphanie a envie de parler avec Caroline. Elle sait qu'au Festival on travaille très tard le soir. Stéphanie compose donc le numéro du Palais des Festivals.

2. Maintenant arrêtez la bande et répondez aux questions.

1. Où travaille Caroline?
   a. En Floride, à Disneyworld.
   b. Au Palais des Festivals de Cannes.
   c. A Paris, à l'École Internationale d'Hôtesses.

2. Pourquoi sa sœur lui téléphone-t-elle au travail?
   a. Parce que Caroline travaille très tard.
   b. Stéphanie travaillait très tard.
   c. Il était difficile d'effectuer la communication.

3. Est-ce que Caroline est dans son bureau?
   a. Oui, elle était tout près.
   b. Non, elle n'était pas dans son bureau.
   c. Non, et on n'a pas réussi à la retrouver.

4. Quel acteur célèbre Caroline a-t-elle
   rencontré?
   a. Yves Montand
   b. Jean-Paul Belmondo
   c. Gérard Depardieu

5. Quelle est la bonne nouvelle de Caroline?
   a. On l'a invitée à voir un nouveau film.
   b. On lui a offert un emploi permanent.
   c. On lui a demandé de tourner un film.

(Les réponses se trouvent en appendice.)

FILMS EN COMPETITION
« ROSALIE GOES SHOPPING », de Percy ADLON (R.F.A.) • « JESUS DE MONTREAL », de Denys ARCAND (Canada) • « TROP BELLE POUR TOI », de Bertrand Blier (France) • « SWEETIE », 1er film, de Jane CAMPION (Australie), « FRANCESCO », de Liliana CAVANI (Italie) • « CHIMERE », de Claire DEVERS (France) • « KUARUP », de Ruy GUERRA (Brésil) • « LOST ANGELS », de Hugh HUDSON (U.S.A.). « KUROI AME », (La pluie noire), de Shohei IMAMURA (Japon) • « MYSTERY TRAIN », de Jim ZARMUSCH (U.S.A.) • « DOM ZA VEZANJE » (Le temps des gitans), de Emir KUSTURICA (Yougoslavie) • « MONSIEUR HIRE », de Patrice LECONTE (France) • « DO THE RIGHT THING », de spike LEE (U.S.A.) • « KVINNORNA PA TAKET », (les femmes sur le toit) 1er film de Carl Gustav NYKVIST (Suède) • « REUNION » (L'ami retrouvé), de Jerry SCHATZBERG (G.B./France/R.F.A.) • « A CRY IN THE DARK » (un cri dans la nuit), de Fred SCHEPISI (Australie/G.B.) • « SPLENDOR » de Ettore SCOLA (Italie) • « TORRENTS OF SPRING », de Jersy SKOLIMOWSKI (Italie) • « SEX, LIES AND VIDEOTAPE » 1er film de Steven SODERBERGH (U.S.A.) • « NUOVO CINEMA PARADISO », de Giuseppe TORNATORE (Italie) • « EL NINO DE LA LUNA » (l'enfant de la lune), de Agustin VILLARONGA (Espagne) • « DAS SPINNENNETZ » (La toile d'araignée), de Bernhard WICKI (R.F.A.).

B. *Et vous*? Voici quelques questions sur votre adolescence. Écoutez chaque question. Écrivez une phrase complète pour répondre à chaque question. Quand vous aviez treize ans...

1. _____

2. _____
   _____

3. _____
   _____

4. _____
   _____

5. _____
   _____

Chapitre 10 La vie urbaine

PREMIÈRE PARTIE

Étude de vocabulaire

A. *Un peu de démographie.* Voici la liste des neuf agglomérations (= régions urbanisées) les plus importantes de France. D'abord, arrêtez la bande pour vous orienter. Trouvez et encerclez sur la carte de France les agglomérations nommées sur la liste.

AGGLOMÉRATION	POPULATION (HABITANTS)
1. Paris	8 549 000
2. Lyon (-St-Étienne-Grenoble)	1 877 000
3. Marseille (-Aix-en-Provence)	1 116 000
4. Lille (-Roubaix-Tourcoing)	929 000
5. Nancy (-Metz-Thionville)	602 000
6. Bordeaux	591 000
7. Nantes (-St-Nazaire)	552 000
8. Toulouse	495 000
9. Strasbourg	355 000

Maintenant, écoutez les questions. Cherchez la réponse sur la liste. Utilisez des nombres *ordinaux* dans chaque réponse.

> MODÈLE: Est-ce que Lyon est plus important que Marseille? →
> <u>Oui, Lyon est la deuxième ville française. Marseille est la troisième.</u>

1. ...   2. ...   3. ...   4. ...   5. ...

B. *Dans une petite ville.* Arrêtez la bande et regardez le plan de ville ci-dessous. Écoutez deux fois chaque description de lieu et répondez à la question.

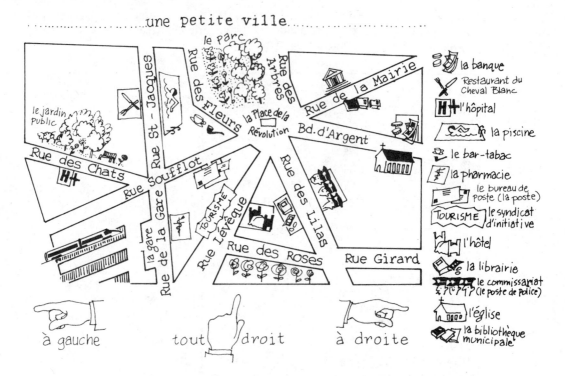

> MODÈLE: C'est là où on va pour prendre le train. → <u>C'est la gare.</u>

1. ...   2. ...   3. ...   4. ...   5. ...   6. ...

C. *Directions.* Vous vous promenez dans la petite ville ci-dessus. Écoutez les directions. Tracez la route sur la carte avec votre doigt (*finger*) et dites où vous arrivez, selon le modèle.

> MODÈLE: Vous êtes au bureau de poste, rue Soufflot. Tournez à gauche dans la rue Soufflot. Tournez à droite dans la rue St-Jacques. Continuez tout droit. Le lieu que vous cherchez est à votre droite. Où êtes-vous? → <u>Je suis à la piscine.</u>

1. ...   2. ...   3. ...

D. *Paris-centre.* Arrêtez la bande pour regarder le plan ci-dessous puis écoutez les questions et répondez-y selon le modèle. Cet endroit est-il *dans l'Île de la Cité, sur la rive gauche* ou *sur la rive droite*? Qu'est-ce que c'est?

l'église

le musée

la place

le monument

le jardin

une université

un théâtre

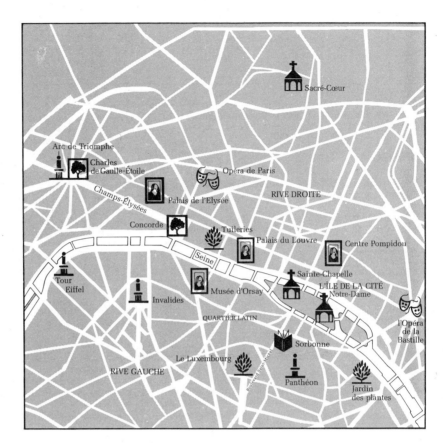

MODÈLE: Où se trouve la Sainte-Chapelle? Qu'est-ce que c'est? →
          <u>Dans l'Île de la Cité. C'est une église.</u>

1. ...   2. ...   3. ...   4. ...   5. ...   6. ...

E. *Et vous?* Vous participez à un sondage sur l'attitude des étudiants envers les villes. Écoutez la question et les réponses de deux camarades avant d'y répondre vous-même.

1. ...   2. ...   3. ...   4. ...   5. ...

Étude de grammaire

36. Describing past events: The passé composé versus the imparfait

A. *Une traversée mouvementée* (eventful crossing). Hier, M. Laroche avait rendez-vous en ville avec un ami. Les dessins illustrent ses aventures.

une marchande de fleurs

mettre les pieds (step into)   rentrer dans (collide with)   rencontrer (meet up with)   renverser (knock down)   arriver

Écoutez les questions deux fois et répondez-y selon le dessin. (La réponse donnée est une réponse suggérée.)

> MODÈLE: M. Laroche a dû traverser le boulevard. Qu'est-ce qu'il a fait d'abord? →
> Il a mis les pieds dans la rue.

1. ...   2. ...   3. ...   4. ...   5. ...   6. ...

B. *Le premier jour de mes vacances*

1. Écoutez l'histoire. Pensez à mettre au passé les verbes soulignés.

Vendredi, je quitte le travail à midi, parce que j'ai des courses à faire. Je descends dans les rues de la ville. Il fait beau et chaud. Les magasins des Champs-Élysées sont pleins de jolies choses. Les autres clients ont aussi l'air heureux.
    J'achète des cartes routières et un chapeau très drôle. J'oublie de faire mes autres courses. Avant de rentrer faire mes valises je prends un citron pressé dans un café très sympa.

2. Maintenant, écoutez de nouveau les phrases en mettant chaque verbe au passé composé ou à l'imparfait, selon le cas.

> MODÈLE: Vendredi, je quitte le travail à midi... → Vendredi, j'ai quitté le travail à midi...

1. ...   2. ...   3. ...   4. ...   5. ...   6. ...   7. ...   8. ...

C. *La liberté*. Voici une petite histoire. Écoutez-la.

Maintenant, arrêtez la bande, regardez les expressions suggérées ci-dessous et écrivez une nouvelle histoire sur le même modèle.

1. Hier soir / je / passer / bon film à mon magnétoscope (*VCR*) / quand...

_____

_____

2. ce / être...

_____

_____

3. il (elle) / me / demander de...

_____

_____

4. je / lui répondre / que...

_____

_____

5. tout(e) content(e) / il (elle) / me / inviter à...

_____

_____

(Des réponses suggérées se trouvent en appendice.)

37. Speaking succinctly: The pronouns y and en

A. *Carine découvre sa ville.* La semaine dernière, Carine avait quelques jours de liberté. Donc elle a décidé d'explorer sa ville.

1. Écoutez l'histoire, et cochez tous les endroits que Carine a visités.

_____ le musée   _____ le jardin public

_____ la mairie   _____ la piscine

_____ le jardin zoologique   _____ le marché en plein air

_____ le vieux cimetière   _____ la banlieue

_____ la pâtisserie   _____ le restaurant

(Les réponses se trouvent en appendice.)

2. Maintenant, regardez les endroits que vous avez cochés, écoutez les questions suivantes et répondez *oui* ou *non* à chaque question selon l'histoire. Utilisez le pronom *y* dans chaque réponse.

MODÈLE: La semaine dernière, Carine est-elle allée au jardin public? → <u>Oui, elle y est allée.</u>

1. ...   2. ...   3. ...   4. ...   5. ...   6. ...

B. *Petit déjeuner en ville.* Écoutez les questions du serveur qui sert votre petit déjeuner et répondez-lui. Utilisez le pronom *en.* Suivez les modèles. (La réponse donnée est une réponse suggérée.)

> MODÈLES: Vous avez assez d'eau? → <u>Oui, j'en ai assez.</u>
>
> Vous voulez deux ou trois petits pains? → <u>J'en veux trois s'il vous plaît.</u>

1. ...   2. ...   3. ...   4. ...   5. ...   6. ...

C. *Un marché d'Abidjan.* Paul et Sara sont au marché en plein air. Écoutez deux fois les remarques de Paul et Sara et encerclez la chose à laquelle (*to which*) ils se réfèrent probablement.

1. (des bananes) / à la plage
2. à ces statuettes / de l'argent
3. deux masques / une carte de la ville
4. des sandales / du café
5. au marché / à la marchande de fleurs
6. des danses locales / à l'arrêt d'autobus

(Les réponses se trouvent en appendice.)

38. Saying what you know: <u>savoir</u> and <u>connaître</u>

A. *Désorientation.* Vous venez de rentrer chez vous après une longue absence et un long vol transatlantique. Vous êtes un peu désorienté(e). Écoutez deux fois les remarques de vos amis et encerclez la lettre correspondant à la réponse appropriée.

1. a. Je ne sais pas.   b. Je ne le connais pas.
2. a. Je ne sais pas.   b. Je ne le connais pas.
3. a. Je ne sais pas.   b. Je ne le connais pas.
4. a. Je ne sais pas.   b. Je ne le connais pas.
5. a. Je ne sais pas.   b. Je ne le connais pas.

(Les réponses se trouvent en appendice.)

B. *Les Jones visitent Paris.* Regardez ce couple de touristes américains et répondez à chaque question d'après leur apparence. (La réponse donnée est une réponse suggérée.)

> MODÈLE: Les Jones savent-ils où est le musée d'Orsay? →
> <u>Non, ils ne savent pas où il est.</u>

1. ...   2. ...   3. ...   4. ...   5. ...   6. ...

C. *Et vous?* Vous intéressez-vous un peu à la science-fiction? Répondez à ces questions sur les films de Steven Spielberg. Utilisez *savoir* ou *connaître*. (Il n'y a pas de réponses suggérées.)

> MODÈLE: Connaissez-vous les films de Steven Spielberg? →
> <u>Oui, je les connais.</u> ou <u>Non, je ne les connais pas.</u>

1. ...   2. ...   3. ...   4. ...   5. ...   6. ...

DEUXIÈME PARTIE

Étude de prononciation

Leçon d'orthographe

1. Écoutez l'orthographe des noms suivants.

- Charles
- Oberkampf
- François
- Geneviève
- Odéon
- Kremlin-Bicêtre

2. Écoutez chacun des noms suivants. Ensuite, épelez et prononcez chaque nom. N'oubliez pas les accents nécessaires.

> MODÈLE: Besançon → B-E-S-A-N-C-cédille-O-N, Besançon

- Jaurès
- Orléans
- Strasbourg
- Pont de Sèvres
- Hôtel de Ville

Situation

Aventure en métro. Charles a besoin de prendre le métro.

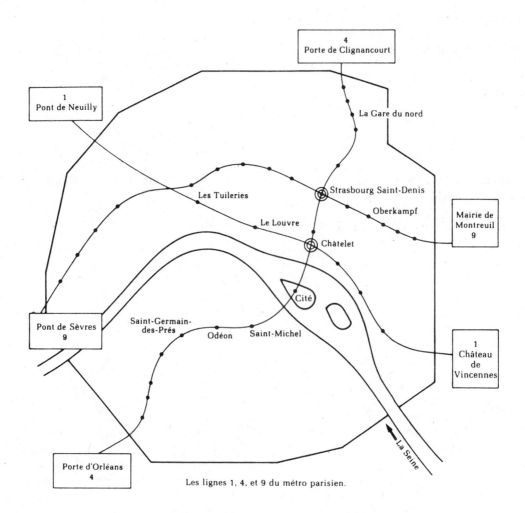

Les lignes 1, 4, et 9 du métro parisien.

1. Écoutez cette conversation (*Rendez-vous*, p. 320). Tout en écoutant, suivez du doigt sur la carte les instructions de Francis et de Geneviève. (Repassez certains passages si nécessaire.)

2. *Qu'est-ce qu'on dit... pour trouver la direction?* Regardez le plan de métro. Écoutez deux fois votre situation et vérifiez votre direction selon le modèle. (*The last stop on the subway line is the* direction.)

> MODÈLE: Vous êtes à Châtelet. Vous voulez aller au Louvre. Quelle est votre direction? →
> <u>C'est Pont de Neuilly.</u>

1. ...   2. ...   3. ...   4. ...

Prenez l'écoute!

A. *Une visite du Musée d'Orsay.* Le Musée d'Orsay est une ancienne gare parisienne transformée en musée d'art. Il se spécialise en l'art du dix-neuvième siècle et des débuts du vingtième.

Gérard et Sylvie, deux étudiants, projettent (*are planning*) une première visite du Musée d'Orsay. D'abord, arrêtez la bande et lisez la brochure suivante. Ensuite, écoutez leur conversation.

Musée d'Orsay petit guide

Informations générales

Musée d'Orsay
62, rue de Lille
75007 Paris
tél. 45 49 48 14

répondeur
informations
générales : 45 49 11 11

Entrée principale : 1, rue de Bellechasse.
Entrée des Grandes expositions du M'O :
quai Anatole France.
Entrée du restaurant après la fermeture
du Musée : 62 bis, rue de Lille.

Transports

- RER ligne C Versailles-Étampes
  Station Quai d'Orsay.
- Bus : 84, 24, 68, 69 quai Anatole France
  73 rue de Solférino.
  84, 83, 63, 94 boulevard Saint-Germain.
  68, 69 rue du Bac.
- Métro Solférino : ligne 12.
- Taxis : rue de Solférino.
  quai Anatole France.

Heures d'ouverture

- le mardi, mercredi, vendredi et samedi
  de 10 h 30 à 18 h 00
- le dimanche
  de 9 h 00 à 18 h 00
- le jeudi
  de 10 h 30 à 21 h 45.
- Entre le 15 juin et le 15 septembre,
  le Musée ouvre à 9 heures.
- Fermé le lundi.

- Attention :
  la vente des billets se termine à 17 h 15
  (21 h 00 le jeudi).
  La fermeture des salles débute
  à 17 h 30 (le jeudi 21 h 15).

Visites

Visites guidées du Musée :
tous les jours à 11 h 00 et 11 h 30 et le jeudi
à 19 h 00.
"Une œuvre à voir" :
présentation d'une œuvre tous les jours
à 12 h 30.
Rendez-vous au comptoir d'accueil des
groupes 15 minutes avant le départ.

Groupes

Répondeur information des groupes :
45 49 49 49.
Les groupes (30 personnes maximum)
ont accès au Musée du mardi au samedi
de 9 h 00 à 13 h 30 (14 h 15 pour les
scolaires). Le jeudi à 18 h et 19 h 30
seulement pour les groupes demandeurs
d'une visite-conférence. Rendez-vous
doit être pris en téléphonant au
45 49 45 46 de deux mois à trois
semaines avant la date souhaitée.

Jeunes

Activités organisées pour les jeunes
de 5 à 15 ans : Espace des Jeunes
visiteurs. Accueil des enseignants,
étudiants, lycéens, sur rendez-vous,
en téléphonant au 45 49 48 14,
postes 45.11 et 45.12. Visites de groupes
scolaires : voir rubrique ci-dessus.
Un dépliant d'information est
à la disposition des jeunes visiteurs
et enseignants au comptoir d'accueil
des groupes.

Ressources documentaires

- Salle de consultation au-dessus du
  café des hauteurs : vidéothèque, banque
  d'images, catalogues.
- Présentations audiovisuelles
  permanentes dans le parcours
  muséographique.

Manifestations

Concerts, cinéma, conférences-débats
et cours d'histoire culturelle dans
l'auditorium du Musée et pour certains
concerts, dans la Salle des Fêtes.

Restaurant

au niveau médian, ouvert tous les
jours midi et soir, fermé le dimanche
soir et le lundi.

Café des hauteurs

au niveau supérieur : heures
d'ouverture du Musée.

Maintenant, écoutez la conversation entre Gérard et Sylvie. Prenez note des détails sur la fiche ci-dessous. Ensuite, d'après ce que vous avez lu dans le guide du Musée d'Orsay, complétez ce tableau et indiquez si leurs projets sont *possibles* ou *pas possibles*.

	POSSIBLE	PAS POSSIBLE
Quel jour? _____ samedi _____	__X__	_____
Quelle heure? _____	_____	_____
Quel moyen de transport? Détails:		
_____	_____	_____
Avec qui? _____		
_____		
Quelles expositions veut-on voir?		
_____	_____	_____
_____	_____	_____
Autre chose? (Cochez ce que vous entendez.)		
Voir des vidéos? _____	_____	_____
Écouter de la musique? _____	_____	_____
Faire de la peinture? _____	_____	_____
Dîner le soir après la fermeture? _____	_____	_____
Autre? _____		
_____		

(Les réponses se trouvent en appendice.)

B. *La vie urbaine*. Écoutez deux fois les questions d'un camarade et écrivez vos réponses en une ou deux phrases complètes.

1. _____

2. _____

3. _____

   _____

4. _____

   _____

5. _____

   _____

Chapitre 11
Les études en France

PREMIÈRE PARTIE

Étude de vocabulaire

A. *La scolarité française.* Écoutez deux fois chaque question et encerclez la lettre correspondant à la réponse correcte.

1. a. a l'école primaire   b. au lycée
2. a. a l'école primaire   b. au lycée
3. a. le bac   b. la maîtrise
4. a. le doctorat   b. la licence
5. a. douze ans   b. dix-neuf ans
6. a. le doctorat   b. la maîtrise
7. a. la fac des lettres   b. la fac des sciences humaines

(Les réponses se trouvent en appendice.)

B. *Christine et Alain, des étudiants mariés*

1. Écoutez la description de la vie de ces deux étudiants français.

2. Maintenant, écoutez deux fois ces affirmations et indiquez si elles sont vraies ou fausses selon l'histoire. (Repassez la bande si nécessaire.)

1. V   F   3. V   F
2. V   F   4. V   F

(Les réponses se trouvent en appendice.)

C. *Orientation*. Vous allez passer une année à l'Université de Montpellier. Une amie vous explique le calendrier universitaire français, mais son explication n'est pas très claire... Écoutez deux fois chaque propos (*remark*). Écrivez les différentes activités sur votre calendrier, près du mois logique (des mois logiques).

septembre - octobre ⟷ mai	juin	juillet - août
		le début des
		vacances

(Les réponses se trouvent en appendice.)

D. *Diplômes*. Écoutez ces propos, puis donnez la spécialisation de la personne qui parle. Complétez par écrit la dernière phrase de chaque monologue.

1. ... J'ai fait mes études supérieures à la faculté de _____ .

2. ... J'ai fait mes études supérieures à la faculté de _____ .

3. ... Je vais continuer à exercer ma profession dans _____ .

4. ... Après deux ans de préparation, j'ai commencé des études, supérieures à H.E.C. où j'ai continué

   à étudier _____ .

(Les réponses se trouvent en appendice.)

E. *Ma scolarité.* On vous interviewe pour une enquête sur les études. Écoutez la question et la réponse de deux autres étudiants. Ensuite, répondez-y vous-même.

1. ...   2. ...   3. ...   4. ...   5. ...

Étude de grammaire

39. Emphasizing and clarifying: Stressed pronouns

A. *Panne d'électricité.* Il y a une panne d'électricité dans la bibliothèque. Ces personnes essaient de se retrouver dans l'obscurité. Répondez selon le modèle.

    MODÈLE: C'est M. Legrand? → <u>Oui, c'est lui.</u>

1. ...   2. ...   3. ...   4. ...   5. ...   6. ...

B. *Incrédulité.* Écoutez deux fois ces déclarations. Répondez selon les modèles.

    MODÈLES: Jean parle de vous et de Charles. → <u>Il parle de nous?</u>
                     Jean va chez les Legrand. → <u>Il va chez eux?</u>

1. ...   2. ...   3. ...   4. ...   5. ...   6. ...

40. Expressing actions: Pronominal verbs

A. *Les distractions des étudiants*

1. Écoutez une première fois cette description.

2. Maintenant, arrêtez la bande et complétez ces phrases qui ont été tirées (*taken*) de la description. (Repassez la bande et arrêtez-la si nécessaire.)

    1. Je _____ parfois si les étudiants français ont le temps de

    _____.

    2. Mais les étudiants doivent aussi _____.

    3. On a besoin de _____ quelquefois...

    4. Le soir, les étudiants _____ souvent encore au quartier

    universitaire.

    5. On _____ à une table de café pour prendre un verre et pour

    discuter avant de rentrer travailler.

    6. Ils déjeunent tranquillement sans _____ chez leurs parents ou

    grands-parents.

7. Ils _____ en faisant un peu de sport avec leurs frères et sœurs ou

ils sortent avec des amis.

(Les réponses se trouvent en appendice.)

B. *Une vie d'étudiant*. Écoutez chacune de ces situations et encerclez l'expression verbale qui la décrit.

1. a. Tu t'excuses.   b. Tu t'amuses.
2. a. Je me dépêche.   b. Je m'arrête.
3. a. Je me souviens de toi.   b. Je me demande si c'est vrai.
4. a. Ils se trouvent là-bas maintenant.   b. Ils vont s'installer là-bas plus tard.
5. a. Je me trompe.   b. Je me repose.
6. a. Nous nous détendons bien.   b. Nous nous entendons bien.

(Les réponses se trouvent en appendice.)

41. Giving commands: Object pronouns with the imperative

A. *Confrontations*. Écoutez ces propos en regardant les dessins. Mettez la lettre qui correspond à l'image illustrant chaque situation.

1. _____   2. _____   3. _____

4. _____   5. _____

(Les réponses se trouvent en appendice.)

B. *Ordres.* Répétez les ordres du prof selon les modèles.

> MODÈLES: Lisez ce paragraphe! → <u>Lisez-le!</u>
>
> Ne parlez pas à vos camarades! → <u>Ne leur parlez pas!</u>

1. ... 2. ... 3. ... 4. ... 5. ... 6. ...

C. *Et vous?* Suivez les instructions selon le modèle. Utilisez un pronom objet. (La réponse donnée est une réponse suggérée.)

> MODÈLE: Demandez à quelqu'un (*someone*) de vous passer le sel. →
> <u>Passez-moi le sel, s'il vous plaît.</u>

1. ... 2. ... 3. ... 4. ... 5. ...

42. Saying how to do something: Adverbs

A. *A vos marques! Prêts! Partez!* Voici la présentation d'une course à pied (*foot race*) très célèbre.

Écoutez cette conversation. Puis, repassez la bande et marquez L ou T à côté des expressions qui décrivent les actions du Lièvre (*hare*) ou celles de la Tortue.

1. ___L___ prend rapidement la tête (*the lead*)

2. _____ se dépêche doucement

3. _____ avance à une vitesse incroyable

4. _____ s'arrête tout à coup

5. _____ avance lentement

6. _____ s'installe confortablement sous un arbre

7. _____ a gagné sans difficulté

8. _____ dort toujours

9. _____ essaie désespérément de se rattraper

10. _____ continue imperceptiblement sur la piste (*track*)

(Les réponses se trouvent en appendice.)

B. *Le Lièvre et la Tortue*. Écoutez parler le Lièvre. Dans votre réponse, jouez le rôle de la Tortue. Remplacez l'adverbe de chaque phrase par l'adverbe indiqué.

      MODÈLE: Chez nous, on s'amuse beaucoup. (assez) → <u>Chez nous, on s'amuse assez.</u>

    1. (raisonnablement)   4. (très peu)
    2. (calmement)   5. (modestement)
    3. (rarement)

C. *Comportements*. Voici quelques questions sur votre manière de faire certaines choses. Répondez à chaque question en utilisant des adverbes. (Il n'y a pas de réponses suggérées.)

    1. ...   2. ...   3. ...   4. ...

DEUXIÈME PARTIE

Étude de prononciation

Les voyelles orales

1.   Répétez les phrases suivantes. Faites attention aux voyelles soulignées (<u>underlined</u>).

    [a]   C'est un <u>a</u>mi de m<u>a</u>dame.   [u]   C'est une <u>ou</u>verture au t<u>ou</u>risme.
    [ɛ]   J'<u>ai</u>me c<u>e</u>tte fen<u>ê</u>tre.   [ɥ]   Cette m<u>u</u>sique est <u>u</u>tile.
    [e]   <u>É</u>coutez, rép<u>é</u>tez.   [œ]   Ce chant<u>eur</u> ne mange pas de b<u>œu</u>f.
    [i]   <u>Y</u>ves dîne <u>i</u>c<u>i</u>.   [ø]   <u>Eu</u>génie étudie le n<u>eu</u>tron.
    [ɔ]   C'est un <u>o</u>bjet n<u>o</u>rmal.
    [o]   Voilà b<u>eau</u>coup d'h<u>ô</u>tels.

2.   Répétez le mot et soulignez dans chaque mot les lettres correspondant à la voyelle indiquée.

      MODÈLE: [ɛ] m<u>ai</u>s, tr<u>ei</u>ze, tr<u>è</u>s

    1. [ø]   <u>œu</u>fs, peu, deux
    2. [œ]   <u>jeu</u>ne, professeur, heureux
    3. [u]   c<u>ou</u>rage, amour, août
    4. [ɥ]   r<u>u</u>e, université, aventure

    (Les réponses se trouvent en appendice.)

3.   Répétez les phrases suivantes en faisant attention aux voyelles soulignées.

    • Ça te g<u>ê</u>ne de me d<u>o</u>nner un c<u>ou</u>p de main?
    • T<u>u</u> vas d'<u>a</u>b<u>o</u>rd <u>a</u>voir besoin d'<u>u</u>ne <u>a</u>ttestation.
    • T<u>u</u> dois <u>a</u>ller <u>au</u> secr<u>é</u>tari<u>a</u>t p<u>ou</u>r choisir t<u>e</u>s h<u>eu</u>res de c<u>ou</u>rs.

Situation

Dédale administratif. Martin s'inscrit à la faculté des lettres.

1. Écoutez la conversation (*Rendez-vous*, p. 349). Faites bien attention aux décisions que Martin doit prendre.

2. *Qu'est-ce qu'on fait... pour donner un conseil?* Voici certaines situations difficiles. Écoutez la description et ensuite, donnez à la personne des conseils. Choisissez votre réponse dans la liste suivante.

MODÈLE: Un camarade veut acheter une voiture de sport italienne. Vous savez bien qu'il n'a pas l'argent pour l'acheter. Que lui dites-vous? →
<u>Charles! Ce n'est pas raisonnable, ne l'achète pas!</u>

Frédéric! Ne leur dis pas tout ça!
Sophie! N'en prends plus! Fais attention à ton régime!
Charles! Ce n'est pas raisonnable, ne l'achète pas!
Mais que fais-tu, Jean-Louis? Ne lui téléphone pas si souvent!
Eh bien, les amis, allons-y! Qu'est-ce que vous attendez?

1. ...   2. ...   3. ...   4. ...   5. ...

Prenez l'écoute!

A. *Éducatel, une école privée.* Arrêtez la bande pour regarder la publicité suivante. Imaginez que vous êtes conseiller (conseillère) d'orientation. Écoutez parler vos clients. Trouvez un programme d'études qui convient à chaque étudiant, et inscrivez les numéros correspondants. (Repassez et/ou arrêtez la bande si nécessaire.)

Préparez votre avenir avec Educatel

(1) ### Auxiliaire de puériculture
Soyez la personne de confiance qui sait donner aux nouveau-nés tous les soins qu'ils réclament en préparant l'examen d'entreé dans les écoles.

(2) ### Carrières paramédicales
Des carrières passionnantes et nombreuses pour tous ceux qui recherchent un métier utile aux autres.

(3) ### Esthéticienne
Le nombre des instituts de beauté a augmenté de 40% en 4 ans. Vous aussi devenez esthéticienne en suivant nos cours avec stages pratiques facultatifs (prép. au C.A.P.).

(4) 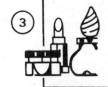 ### Graphologue
Si la psychologie vous passionne, apprenez un métier aux applications croissantes.

(5)   ### Technicien électronicien
Vous aimez le travail rigoureux et savez faire preuve d'initiative. Choisissez cette spécialité qui offre de nombreuses possibilités en laboratoire et en atelier.

(6) ### Programmeur d'application
Vous travaillez en collaboration avec l'analyste, testez et mettez au point les programmes (niveau d'accés:3e -2e).

(7) ### B.T.S. électronicien
En tant que Technicien Supérieur, vous travaillerez en collaboration avec un ingénieur à la réalisation ou à l'étude des applications industrielles de l'électronique.

(8) ### Monteur dépanneur radio TV HI-FI
Vous aimez l'électronique. Devenez le spécialiste que l'on recherche, parfaitement au fait des techniques nouvelles.

(9)   ### Secrétaire assistant(e) vétérinaire
Vous aimez les animaux et souhaitez travailler auprès d'eux. Assistez le vétérinaire dans les soins qu'il leur apporte.

(10) ### Garde forestier
Surveiller et entretenir la forêt, voilà votre travail. Vivre au grand air d'une façon saine, voilà votre cadre de vie.

Try to get the general idea of the students' statements. Some words will be new to you.

1. _____   4. _____

2. _____   5. _____

3. _____   6. _____

(Les réponses se trouvent en appendice.)

B. *Priorités.* Écoutez ces questions sur vos études. Écrivez une phrase complète pour répondre à chaque question. Utilisez un pronom disjoint (*stressed pronoun*) où possible. (Arrêtez la bande si nécessaire.)

1. _____

   _____

2. _____

   _____

3. _____

   _____

Chapitre 12
La vie de tous les jours

PREMIÈRE PARTIE

Étude de vocabulaire

A. *Une triste histoire d'amour*

1. Écoutez l'histoire de Mireille et Jacques.

2. Écoutez deux fois ces déclarations sur l'histoire de Mireille et Jacques. Elles ne sont pas en ordre. Mettez-les en ordre chronologique dans la colonne appropriée: <u>au début</u>, <u>au milieu</u> ou <u>vers la fin</u>. Écrivez l'infinitif.

   MODÈLE: Mireille et Jacques sont tombés follement amoureux.

AU DÉBUT	AU MILIEU	VERS LA FIN
_____	<u>tomber amoureux</u>	_____
_____	_____	_____
_____	_____	_____
_____	_____	_____
	_____	

   (Les réponses se trouvent en appendice.)

B. *Énigme.* Écoutez deux fois chaque définition et donnez la partie ou les parties du corps définies.

   MODÈLE: Ils servent à jouer du piano. → <u>Les mains et les doigts.</u>

   1.   ...   2.   ...   3.   ...   4.   ...   5.   ...   6.   ...

C. *Et maintenant... un moment de détente...* L'exercice physique nous est bénéfique, même pendant les leçons de français. Attention! Ne faites pas ces exercices en conduisant une voiture!

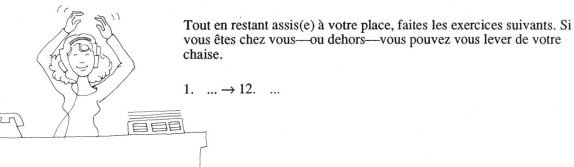

Tout en restant assis(e) à votre place, faites les exercices suivants. Si vous êtes chez vous—ou dehors—vous pouvez vous lever de votre chaise.

1.   ... → 12.   ...

D. *Enquête sur l'amour.* On vous interviewe pour le journal de l'université. Écoutez les réponses de deux autres étudiants avant de donner votre réponse.

1. ... 2. ... 3. ... 4. ...

Étude de grammaire

43. Reporting everyday events: Pronominal verbs (<u>continued</u>)

A. *La vie quotidienne.* Écoutez deux fois les remarques de Thomas et tranformez-les en posant une question avec un verbe pronominal. Verbes utiles: *se lever, se coucher, s'habiller, s'en aller, s'amuser.*

MODÈLE: Le matin, j'ouvre mes yeux difficilement. →
<u>Tu te réveilles difficilement?</u>

1. ... 2. ... 3. ... 4. ... 5. ...

B. *Une journée dans la vie de Jeanne-Marie.* Regardez le dessin. Écoutez deux fois les questions suivantes. Répondez à chaque question selon le dessin et selon votre idée. (La réponse donnée est une réponse suggérée.)

MODÈLES: A quelle heure Jeanne-Marie se réveille-t-elle? → <u>Elle se réveille à sept heures.</u>

Imaginez... A quelle heure se brosse-t-elle les dents? →
<u>Elle se brosse les dents à sept heures vingt.</u>

1. ... 2. ... 3. ... 4. ... 5. ... 6. ...

C. *Comparez-vous avec Philippe.* Écoutez les descriptions des habitudes de Philippe, puis donnez une réponse personnelle. (Il n'y a pas de réponses suggérées.)

   MODÈLE: Philippe se réveille à six heures et demie. Et vous? A quelle heure est-ce que vous vous réveillez? → <u>Moi? A sept heures.</u>

   1.   ...   2.   ...   3.   ...   4.   ...   5.   ...

44. Expressing reciprocal actions: Pronominal verbs

A. *Que font les voisins du quartier?* Écoutez chaque question deux fois et répondez-y suivant le dessin. Verbes utiles: *se parler, se dire bonjour, se disputer, se regarder, se téléphoner.*

   MODÈLE: Que font Cassandre et sa sœur Régine? → <u>Elles s'écrivent.</u>

   1.   ...   2.   ...   3.   ...   4.   ...   5.   ...

B. *Enthousiasme.* Une vedette (*star*) parle de son prochain mariage. Écoutez deux fois les questions du reporter. Ensuite, en jouant le rôle de la vedette, répondez par une phrase qui commence par *Ah oui...* ou *Ah non...* (Les réponses données sont des réponses suggérées.)

MODÈLE: LE REPORTER: Votre fiancé et vous, vous connaissez-vous bien?
LA VEDETTE: <u>Ah oui, nous nous connaissons très bien!</u>

1. ...   2. ...   3. ...   4. ...

C. *La déprime* (depression). Maintenant, la vedette parle de sa séparation récente. Jouez encore une fois le rôle de la vedette et répondez selon le modèle avec *ne... plus.*

MODÈLE: Alors, parlez-nous de l'admiration. → <u>Nous ne nous admirons plus, vous savez.</u>

1. ...   2. ...   3. ...   4. ...   5. ...

45. Talking about the past and giving commands: Pronominal verbs

A. *Un dimanche à la campagne.* Jouez le rôle de Marc, qui décrit ce qui est arrivé dimanche dernier quand il est sorti avec sa famille. Écoutez les questions de son amie Pomme deux fois, et répondez selon le dessin. Verbes utiles: *se mettre en route, s'arrêter au bord d'une rivière, s'ennuyer, se baigner, s'endormir, se promener à pied.*

MODÈLE: A quelle heure est-ce que vous êtes partis?
Nous nous sommes mis en route vers neuf heures.

1. ...   2. ...   3. ...   4. ...   5. ...

B. *Ordres.* Vous êtes moniteur ou monitrice dans une colonie de vacances (*counselor in a children's camp*). C'est lundi matin. Écoutez chaque situation deux fois et donnez des ordres aux jeunes campeurs. Utilisez les adverbes donnés.

MODÈLE: Maurice ne s'est pas encore réveillé. (...maintenant!) → <u>Réveille-toi maintenant!</u>

1. (plus tôt)   5. (immédiatement)
2. (maintenant)   6. (aujourd'hui)
3. (tout de suite)   7. (aujourd'hui)
4. (immédiatement)

C. *Ma journée d'hier.* Écoutez les questions et répondez-y pour décrire votre journée d'hier. (Il n'y a pas de réponses suggérées.)

MODÈLE: A quelle heure vous êtes-vous réveillé(e)? →
<u>Je me suis réveillé(e) vers six heures et demie.</u>

1. ...   2. ...   3. ...   4. ...   5. ...   6. ...

46. Making comparisons: The comparative and superlative of adjectives

A. *François fait toujours des comparaisons.* Écoutez deux fois les propos de François, regardez les dessins et donnez la conclusion logique, selon le modèle.

MODÈLE: Hélène est plus grande que moi. → <u>Eh oui, tu es plus petit qu'elle.</u>

1. ...   2. ...   3. ...   4. ...   5. ...

Hélène

Guillaume

Joseph

Gérard

Karine

B. *Personnages extraordinaires.* Écoutez deux fois les descriptions de ces personnages célèbres et confirmez-les selon le modèle.

MODÈLE: Pinocchio a un long nez. (monde) →
C'est vrai... Pinocchio a le nez le plus long du monde.

1. (monde)
2. (littérature)
3. (Hollywood)
4. (univers)
5. (Français)

DEUXIÈME PARTIE

Étude de prononciation

Les voyelles orales: [y], [œ], [ø]

1. Les voyelles françaises [y], [œ] et [ø] n'ont pas d'équivalent en anglais. Répétez les mots suivants. Faites bien le contraste entre [y] et [u], [ø] et [œ].

[y]	sal<u>u</u>t	<u>u</u>ne	n<u>u</u>méro	L<u>u</u>c
[u]	s<u>ou</u>pe	a<u>oû</u>t	<u>ou</u>verture	<u>où</u>
[ø]	d<u>eu</u>x	séri<u>eu</u>x	adi<u>eu</u>	un p<u>eu</u>
[œ]	h<u>eu</u>re	fl<u>eu</u>r	<u>œu</u>vre	act<u>eu</u>r

2. Répétez les phrases suivantes. Faites attention aux voyelles orales soulignées.

- Doct<u>eu</u>r, j'ai très mal à la gorge, et j'ai un p<u>eu</u> de fièvre.
- V<u>ou</u>s avez pris votre températ<u>u</u>re?
- Laissez-moi v<u>ou</u>s ausc<u>u</u>lter...
- <u>Ou</u>vrez la b<u>ou</u>che et dites Aaaah...
- Je v<u>eu</u>x v<u>ou</u>s revoir si ça ne va pas mi<u>eu</u>x dans quatre <u>ou</u> cinq j<u>ou</u>rs.

Situation

Visite à domicile. Jérôme ne va pas bien; il a appelé le médecin.

1. Écoutez la conversation (*Rendez-vous*, p. 375). Faites bien attention à la manière d'expliquer vos symptômes au docteur. (Repassez certains passages, si nécessaire.)

2. *Qu'est-ce qu'on dit... pour s'expliquer avec le médecin?* Expliquez-vous avec le médecin. Écoutez deux fois ces suggestions pour parler avec votre médecin, et suivez-les. (La réponse donnée est une réponse suggérée.)

   MODÈLE: Expliquez au médecin que vous avez très mal à la gorge. → <u>J'ai très mal à la gorge.</u>

   1. ...   2. ...   3. ...   4. ...   5. ...   6. ...

Prenez l'écoute!

A. *Voulez-vous une assurance médicale pour votre chien?* Un nombre croissant (*growing*) de Français s'y intéressent.

1. Imaginez que vous êtes assureur (*insurance underwriter*). Vous assistez à une conversation entre une de vos collègues et un couple de clients. Ces personnes désirent faire assurer leur chien (*have their dog insured*).

   Écoutez particulièrement les réponses des clients et prenez des notes sur le formulaire suivant. Ensuite, aidez votre collègue dans sa décision en répondant aux questions écrites en dessous.

Vous l'aimez?
Protégez-le

«*Bonne Forme Multi Garantie*»
du *Groupe Concorde*.

QUESTIONNAIRE ASSURANIMAUX

Nom _____Roland_____   Race _____

Sexe _____   Date de naissance _____

Poids (*Weight*) _____

1. Santé? _____

   _____

2. Nourriture?

   Repas _____

   _____

   Fréquence _____

3. Habitudes/tempérament?

_____

_____

4. Journée typique?

    Sommeil _____

    Sorties _____

    Autre chose _____

    _____

(Les réponses se trouvent en appendice.)

2. Maintenant, arrêtez la bande et répondez par écrit à ces questions.

    1. Donnez quelques recommandations aux clients sur les soins (*care*) de leur chien.

        _____

        _____

        _____

    2. Comme assureur, pouvez-vous assurer ce chien? Pourquoi? Pourquoi pas?

        _____

        _____

        _____

B. *Une rencontre personnelle.* Pensez à votre première rencontre avec un bon ami ou une bonne amie. Écoutez les questions et écrivez une phrase complète en réponse à chacune. (Arrêtez la bande si nécessaire; il n'y a pas de réponses suggérées.)

1. _____

2. _____

3. _____

4. _____

5. _____

Chapitre 13
Cherchons une profession

PREMIÈRE PARTIE

Étude de vocabulaire

A. *Métiers* (Jobs). Écoutez deux fois les descriptions suivantes en regardant les images. Donnez le nom du métier en complétant chaque phrase par écrit.

1. C'est une _____

2. C'est une _____

3. C'est un _____

4. C'est un _____

5. C'est un _____

6. C'est une _____

(Les réponses se trouvent en appendice.)

B. *Question d'argent*. Écoutez deux fois les définitions et encerclez la lettre correspondant à l'expression désignée.

1. C'est...   a. un compte d'épargne   b. un bureau de change
2. Ce sont...   a. vos économies   b. vos cartes de crédit
3. Ce sont...   a. vos billets de banque   b. vos dépenses
4. C'est...   a. un chèque   b. la monnaie
5. C'est...   a. un bureau de change   b. un cours du change
6. C'est...   a. le cours du dollar   b. le coût de la vie

(Les réponses se trouvent en appendice.)

C. *Le compte de crédit de Joseph*

1. Écoutez cette histoire une première fois.

2. Maintenant, repassez la bande et écoutez l'histoire une deuxième fois, puis arrêtez la bande pour compléter ces phrases par écrit.

   1. Joseph voulait depuis longtemps _____.

   2. Quand son père _____ avec lui, Joseph lui a promis d'être prudent.

   3. Un jour Joseph _____ que son salaire ne

      _____.

   4. Pour le moment, la sœur de Joseph _____.

   5. Joseph est fier de son indépendance, donc il en _____ beaucoup.

   6. A votre avis, que doit faire Joseph? _____

      _____

(Les réponses se trouvent en appendice.)

D. *Mon budget.* Imaginez que vous avez demandé une bourse (*scholarship*) à l'université. Un administrateur vous interviewe. Vous écoutez les questions et les réponses de deux autres étudiants avant de répondre vous-même.

1. ...   2. ...   3. ...   4. ...   5. ...

Étude de grammaire

47. Talking about the future: The future tense

A. *Projets d'été.* Écoutez deux fois les propos de certains étudiants au café, et encerclez les lettres qui désignent le temps du verbe que vous entendez: passé (PA), présent (PR) ou futur (F).

1. PA   PR   F
2. PA   PR   F
3. PA   PR   F
4. PA   PR   F
5. PA   PR   F
6. PA   PR   F
7. PA   PR   F

(Les réponses se trouvent en appendice.)

B. *Rêves d'avenir.* Annie est une lycéenne qui rêve souvent à son avenir. Arrêtez la bande un moment pour suivre les rêves d'Annie sur les dessins ci-dessous. Ensuite, écoutez deux fois les questions et répondez-y selon le dessin. (La réponse donnée est une réponse suggérée.)

1. ...   2. ...   3. ...   4. ...   5. ...

C. *Un emploi contemporain.* Écoutez une première fois cette annonce d'emploi.

1. Écoutez l'annonce une deuxième fois et écrivez dans votre cahier les mots et les expressions qui manquent (*that are missing*).

UN POSTE IDÉAL

On cherche programmeurs et _____. Le candidat idéal _____

une formation récente _____ et _____ la technologie

_____. Il _____ se charger de projets indépendants; il

_____ également le travail d'équipe. Notre candidat _____ un

tempérament agréable et compréhensif; il _____, consciencieux et méticuleux. Le

candidat que _____ de nombreux avantages: congés (*vacations*)

payés, assurances médicales, frais de formation (*education allowance*) pour ceux (*those*) qui

_____ approfondir leurs connaissances. Le _____ initial

_____ de _____ avec possibilités

d'augmentation régulière.

(Le texte complet se trouve en appendice.)

2. Maintenant, arretez la bande et répondez brièvement par écrit aux questions suivantes.

   1. Connaissez-vous quelqu'un à qui ce poste convient (*is suitable*)?

      Si oui, pourquoi? _____

      _____

   2. Imaginez que vous cherchez un emploi. Ce poste vous intéresse-t-il personnellement?

      Pourquoi? Pourquoi pas?

      Oui,/Non, _____

      _____

      _____

48. Linking ideas: Relative pronouns

A. *Interview d'un chef d'entreprise*

1. Écoutez cette interview de la bijoutière Geneviève Blanchard. Les bijoux qu'elle crée se vendent partout dans le monde, et surtout au Japon.

2. *Comprenez-vous*? Écoutez chaque affirmation et indiquez si elle est vraie (V) ou fausse (F) selon le dialogue que vous venez d'écouter.

   1. V F   4. V F
   2. V F   5. V F
   3. V F   6. V F

(Les réponses se trouvent en appendice.)

B. *Au bureau des objets perdus.* Des gens arrivent au poste de police pour retrouver des affaires (*belongings*) ou pour poser des questions. Regardez chaque dessin, écoutez les échanges (*interactions*) et terminez-les selon le modèle.

MODÈLE: —Je cherche mon carnet de chèques. Il est de la Banque Nationale de Paris.
—Est-ce que c'est le carnet que vous cherchez?
—<u>Non, ce n'est pas le carnet que je cherche.</u>

1. ...   2. ...   3. ...   4. ...

C. *La vie de Daniel.* Dans la vie de chaque individu il y a des personnes et des choses significatives (*meaningful*). Écoutez les propos de Daniel. Ensuite, complétez chaque phrase ci-dessous avec un détail que Daniel vous a raconté. (Repassez la bande si nécessaire; arrêtez-la pour écrire.)

1. Arthur, c'est une personne que _____

_____

2. Caroline, c'est une amie qui _____

_____

3. «Les Temps modernes», c'est un film dont _____

_____

4. La Lune bleue, c'est un café où _____

_____

(Des réponses suggérées se trouvent en appendice.)

DEUXIÈME PARTIE

Étude de prononciation

Les voyelles nasales [ɑ̃], [ɔ̃] *et* [ɛ̃]

1. Répétez les sons et les exemples suivants.

    [ɑ̃] d<u>an</u>s, l<u>am</u>pe, t<u>en</u>te, ex<u>em</u>ple
    [ɔ̃] s<u>on</u>, c<u>om</u>bien, réacti<u>on</u>, b<u>on</u>b<u>on</u>
    [ɛ̃] <u>un</u>, mat<u>in</u>, v<u>in</u>gt, s<u>ym</u>pathique, bi<u>en</u>, tr<u>ain</u>, f<u>aim</u>, pl<u>ein</u>

2. Répétez les mots suivants. Faites bien le contraste entre les voyelles nasales et les voyelles non
    nasales.

[ɑ̃]	dans	Jean	roman	bande
[a]	Anne	Jeanne	romane	banane
[ɔ̃]	bon	nom	pardon	comptez
[ɔ]	bonne	nomme	donner	comme
[ɛ̃]	italien	saint	train	vin
[ɛ]	italienne	Seine	traîne	vaine

3. Répétez les phrases suivantes en faisant attention aux voyelles nasales (qui sont toutes soulignées).

    *   B<u>on</u>jour, Monsieur, j'ai <u>en</u>t<u>en</u>du dire que vous <u>em</u>bauchez pour les v<u>en</u>d<u>an</u>ges.
    *   Oui, nous pay<u>ons</u> qu<u>in</u>ze fr<u>an</u>cs de l'heure.
    *   Et vous dem<u>an</u>dez des journées l<u>on</u>gues?
    *   Je reti<u>en</u>s deux heures de travail par jour seulem<u>en</u>t.

Situation

Un travail temporaire

1. Écoutez la conversation (*Rendez-vous*, p. 404). Faites
    bien attention à la manière de poser des questions sur le
    travail. (Repassez certains passages si nécessaire.)

2. *Qu'est-ce qu'on demande... dans une entrevue?* Jean-Marc cherche un emploi. Écoutez deux fois les
    réponses du patron; trouvez la question probable de Jean-Marc sur la liste suivante et répétez-la.

    MODÈLE: Oui, c'est exact. J'embauche pour les vendanges. →
    <u>Est-ce que vous embauchez pour les vendanges?</u>

Combien de temps est-ce que les travaux vont durer?
Combien demandez-vous pour le logement et les repas?
Et on gagne combien?
Est-ce que vous embauchez pour les vendanges?
Je serai le seul étudiant ici?
On travaille combien d'heures par jour?

1. ...   2. ...   3. ...   4. ...   5. ...

Prenez l'écoute!

A. *Êtes-vous heureux dans votre travail*? Le magazine hebdomadaire (*weekly*) français *Le Point* a effectué une enquête auprès d'environ 500 cadres français pour déterminer leur motivation dans le travail.

1. Arrêtez la bande pour étudier le tableau à la page 136 qui donne les résultats de l'enquête. Faites particulièrement attention aux éléments de la vie professionnelle nommés ici.

Maintenant, écoutez l'interview de quatre étudiants à H.E.C. (Hautes Études Commerciales), une grande école de commerce française. Tous ces étudiants ont déjà une certaine expérience du travail. Ils nous expliquent les éléments professionnels qui leur sont les plus importants.

Tout en écoutant, mettez à côté du nom de chaque étudiant les numéros correspondant aux éléments qu'il mentionne.

Ce qui fait marcher les cadres

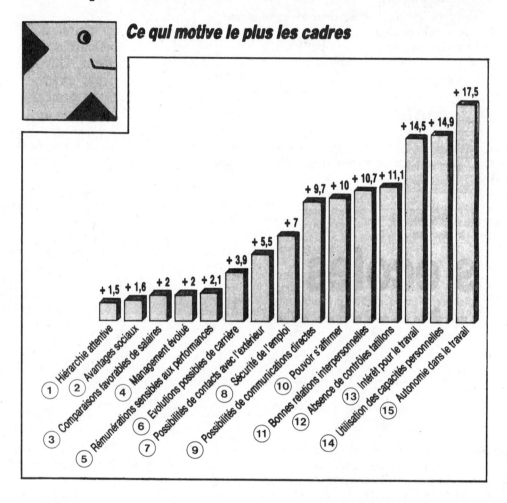

Ce qui motive le plus les cadres

Barchart showing:
- + 1,5 ① Hiérarchie attentive
- + 1,6 ② Avantages sociaux
- + 2 ③ Comparaisons favorables de salaires
- + 2 ④ Management évolué
- + 2,1 ⑤ Rémunérations sensibles aux performances
- + 3,9 ⑥ Evolutions possibles de carrière
- + 5,5 ⑦ Possibilités de contacts avec l'extérieur
- + 7 ⑧ Sécurité de l'emploi
- + 9,7 ⑨ Possibilités de communications directes
- + 10 ⑩ Pouvoir s'affirmer
- + 10,7 ⑪ Bonnes relations interpersonnelles
- + 11,1 ⑫ Absence de contrôles tatillons
- + 14,5 ⑬ Intérêt pour le travail
- + 14,9 ⑭ Utilisation des capacités personnelles
- + 17,5 ⑮ Autonomie dans le travail

Natalie	2,
Christine	
Benoît	
Barbara	

(Les réponses se trouvent en appendice.)

2. Maintenant, arrêtez la bande et répondez par écrit aux questions suivantes. Inspirez-vous des propos des quatre étudiants ci-dessus.

1. Pour vous, personnellement, quels sont les éléments motivants dans le travail?

   _____

   _____

2. Décrivez un job que vous n'avez pas aimé. Pourquoi ne l'avez-vous pas aimé?

   _____

   _____

3. A l'avenir, qu'est-ce que vous ferez pour éviter (*avoid*) cette sorte de problème?

   _____

   _____

B. *Et vous*? Voici quelques questions sur vos projets immédiats et vos projets d'avenir. Écoutez chaque question. Inventez une réponse à chaque question et écrivez-la. (Il n'y a pas de réponses suggérées.)

1. _____

   _____

2. _____

   _____

3. _____

   _____

4. _____

   _____

5. _____

   _____

Chapitre 14 Vive les loisirs!

PREMIÈRE PARTIE

Étude de vocabulaire

A. *La vie sportive.* Que font ces personnes? Écoutez chaque petite conversation et écrivez le nom du sport qu'on pratique.

1. Ils/Elles font _____

2. Ils/Elles font _____

3. Ils/Elles font _____

4. Ils/Elles font _____

5. Ils/Elles vont à _____

(Les réponses se trouvent en appendice.)

B. *Les loisirs d'Albert.* Écoutez chaque phrase en encerclant la lettre qui correspond à l'activité qu'elle désigne.

(Les réponses se trouvent en appendice.)

1. a. C'est une collection de timbres.
   b. C'est un billet de loterie.
2. a. Il fait de la bicyclette.
   b. Il fait de la marche à pied.
3. a. Il fait du jardinage.
   b. Il fait du bricolage.
4. a. C'est un jeu de hasard.
   b. C'est une activité de plein air.

5. a. C'est pour voir un film.
   b. C'est pour faire de la peinture.
6. a. Il va y skier.
   b. Il va y jouer.
7. a. Il aime la lecture.
   b. Il va au spectacle.

C. *Loisirs de dimanche.* Qu'a vu Delphine dimanche passé?

1. Écoutez l'histoire suivante en complétant les verbes qui manquent. (Repassez la bande si nécessaire.)

Dimanche matin, vers huit heures, Delphine _____ sa porte. Dans la rue,

_____ quelque chose de surprenant: une vingtaine de personnes

_____ dans un marathon. Comme _____ assez

chaud, _____ très soif. En fait, certains d'entre eux

_____ vraiment l'air de souffrir. Delphine _____

à boire; _____ un verre d'eau; _____

_____ rapidement avant de reprendre la course. Delphine

_____ ces gens sérieux et enthousiastes; _____

d'eux. _____ calmement son journal.

(Le texte complet se trouve en appendice.)

2. Maintenant, arrêtez la bande pour écrire la réponse à cette question.

    Le dimanche matin, préférez-vous courir dans un marathon ou lire votre journal? Commentez votre réponse.

    _____

    _____

    _____

    _____

D. *Spectateurs.* Imaginez que vous êtes à Paris comme spectateur ou spectatrice à l'arrivée du Tour de France, la grande course cycliste française du mois de juillet. Écoutez les questions d'une journaliste et les réponses de deux autres spectateurs. Ensuite, inventez vous-même une réponse à chaque question.

    1. ...   2. ...   3. ...   4. ...

Étude de grammaire

49. Getting information: Interrogative pronouns

A. *Danielle participe à une course cycliste*

1. Regardez le dessin et l'exercice suivant, puis écoutez l'histoire.

Danielle

2. Maintenant, écoutez chaque question deux fois. Jouez le rôle du narrateur et répondez aux questions en complétant chaque phrase par écrit selon l'histoire.

1. Il se passe _____ aujourd'hui.

2. Elle aime faire _____.

3. Elle va participer _____.

4. Elle a mis _____

_____.

5. C'est une sorte de chapeau pour _____.

6. Je vais encourager _____.

7. _____ va la _____, bien sûr!

(Les réponses se trouvent en appendice.)

B. *Interrogation.* Écoutez deux fois chaque question en regardant les réponses possibles. Encerclez la lettre correspondant à la réponse la plus logique.

> MODÈLE: Qu'est-ce qui est arrivé?
> a. mon oncle Gérard
> (b.) une tempête de neige

1. a. des provisions
   b. mon mari
2. a. mon père
   b. mes devoirs
3. a. mon voisin
   b. ma bicyclette
4. a. du professeur
   b. de la politique

5. a. mes idées
   b. ses meilleurs amis
6. a. mon cousin
   b. un taxi
7. a. avec des paquets
   b. avec sa femme
8. a. nos camarades
   b. le début du film

(Les réponses se trouvent en appendice.)

C. *Et vous?* Écoutez ces questions et donnez votre réponse. (Il n'y a pas de réponses suggérées.)

1. ...   2. ...   3. ...   4. ...   5. ...

50. Being polite; speculating: The present conditional

A. *Bonnes manières.* Apprenez à ces enfants à bien parler en société, selon le modèle.

> MODÈLE: Nous voulons manger. → <u>Non, dites... nous voudrions manger.</u>

1. ...   2. ...   3. ...   4. ...   5. ...

B. *Que feriez-vous si... ?* Réfléchissez à ces situations (décrites deux fois) et dites ce que vous feriez dans chacun des cas. Commentez votre réponse si possible. (La réponse donnée est une réponse suggérée.)

> MODÈLE: Que feriez-vous si votre banque faisait une erreur et vous donnait un million de dollars? Diriez-vous quelque chose à la banque? →
> <u>Oui, je dirais quelque chose à la banque, parce que ce n'est pas mon argent.</u>

1. ...   2. ...   3. ...   4. ...   5. ...

C. *Qu'est-ce que vous feriez si... ?* Écoutez deux fois chaque question. Complétez chaque réponse par écrit en utilisant l'imparfait et le conditionnel présent. (Il n'y a pas de réponses suggérées.)

1. S'il _____

_____

2. Si j'_____

_____

51. Expressing actions: Prepositions after verbs

Un week-end idéal

1. Écoutez Paul qui vous parle de ses week-ends. Tout en écoutant, regardez l'exercice qui suit.

2. Après avoir écouté l'histoire de Paul, arrêtez la bande et terminez les phrases suivantes *selon votre vie.* Faites attention aux prépositions. (Repassez la bande si nécessaire.)

1. En général, le week-end, je tiens _____

_____

2. Quand on me suggère des activités, je dis que je voudrais _____

_____

3. Le week-end passé, j'ai choisi _____

_____

4. Ce week-end, j'espère _____

_____

5. Certains dimanches, on m'empêche _____

_____

6. Un soir, j'ai finalement réussi _____

_____

52. Making comparisons: Adverbs and nouns

A. *Bruno est plus aisé* (richer) *que Jacques.*

    1.   D'abord, écoutez Bruno—qui est peu modeste—se comparer à son ami Jacques.

    2.   Maintenant, jouez le rôle de Bruno et répondez aux questions qui vous sont posées deux fois. (Les réponses données sont des réponses suggérées.)

       1.   ... 2.   ... 3.   ... 4.   ... 5.   ... 6.   ... 7. ...

B. *Trois collègues.* Voici trois personnages qui sont de caractère et de physique assez différents. Regardez leurs portraits en écoutant deux fois chaque question. Répondez à la question en encerclant le nom du personnage.

1.	Astérix	Panoramix	Obélix	6.	Astérix	Panoramix	Obélix
2.	Astérix	Panoramix	Obélix	7.	Astérix	Panoramix	Obélix
3.	Astérix	Panoramix	Obélix	8.	Astérix	Panoramix	Obélix
4.	Astérix	Panoramix	Obélix	9.	Astérix	Panoramix	Obélix
5.	Astérix	Panoramix	Obélix	10.	Astérix	Panoramix	Obélix

(Les réponses se trouvent en appendice.)

DEUXIÈME PARTIE

Étude de prononciation

E muet (Mute E) [ə]. *E muet*, c'est un son très court représenté par la lettre *e*.

1. Répétez les syllabes suivantes:

    de   que   ne
    ce   le   me

    Le *e* final d'un mot multisyllabique est généralement *muet*. Répétez les mots suivants:

    septembrє   exemplє
    bananє   sympathiquє

    Le *e* muet n'est pas prononcé dans certaines combinaisons de sons. En général, on laisse tomber le *e* muet après une seule consonne. Répétez:

    Je nє sais pas.   Prends lє thé.
    rapidєment   Ellє a dє bons amis.
    chez lє docteur   Sa demandє est utilє.

    Pour éviter (*avoid*) une série de trois consonnes prononcées, on prononce généralement le *e* muet après deux consonnes. Répétez:

    mercredi et vendredi
    C'est simplement le gouvernement.
    Voici un chèquє pour le docteur.
    Cettє fenêtrє est ouvertє.

2. Les règles concernant le *e* muet sont compliquées; écoutez toujours avec attention votre professeur et d'autres francophones. Répétez:

    la séancє de deux heurєs
    Je cherchє un peu dє monnaie.
    Il n'y a pas dє queuє.
    J'aimєrais bien grignoter quelque chosє.
    avec cettє drôlє de voix

Situation

Séance de cinéma. Gisèle et Maureen sont dans un cinéma à Toulouse.

1. Écoutez la conversation (*Rendez-vous*, p. 438). Faites attention aux détails concernant une séance de cinéma en France.

2. Deux Françaises sont au cinéma. Écoutez deux fois leurs propos et indiquez si elles sont à Toulouse ou bien à Los Angeles.

1.	Toulouse	Los Angeles	4.	Toulouse	Los Angeles
2.	Toulouse	Los Angeles	5.	Toulouse	Los Angeles
3.	Toulouse	Los Angeles	6.	Toulouse	Los Angeles

(Les réponses se trouvent en appendice.)

Prenez l'écoute!

Parcs de loisirs: la soif européenne. Vous avez peut-être entendu parler d'Eurodisneyland, un parc d'attractions dans la région parisienne dont l'ouverture est promise pour 1992. Eh bien, il ne sera pas le seul. La France a déjà fait ouvrir, ou est en train de faire construire, des dizaines de parcs d'attractions et de parcs de loisirs sur le modèle américain. Les investisseurs comptent à la longue sur 20 millions de visiteurs par an.

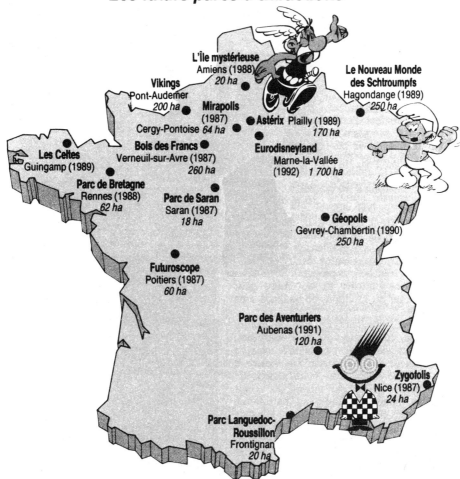

Les futurs parcs d'attractions

1. D'abord, arrêtez la bande pour regarder la carte de France et les fiches ci-dessous. La bande toujours arrêtée, encerclez sur la carte les parcs nommés sur les fiches.

Maintenant, imaginez que vous voulez faire le tour de quelques parcs d'attractions français. Écoutez la présentation du speaker en notant quelques détails sur chacun des parcs décrits. (Toutes les informations ne sont pas données pour tous les parcs.)

a.

Nom du parc <u>Mirapolis</u>   Situé où? <u>Cergy-Pontoise</u>

_____

Superficie (*Area*) _____ ha

Thème principal _____

Coût de la construction _____ millions de FF

Année d'ouverture _____

Attractions spéciales _____

b.

Nom du parc <u>Astérix</u>   Situé où? <u>Picardie (Plailly)</u>

_____

Superficie _____ ha

Thème principal _____

Coût de la construction _____ millions de FF

Année d'ouverture _____

Attractions spéciales _____

c.

Nom du parc <u>Eurodisneyland</u>   Situé où? <u>Seine-et Marne</u>

<u>(Marne-la-Vallée)</u>

_____

Superficie _____ ha

Thème principal _____

Coût de la construction _____ millions de FF

Année d'ouverture _____

Attractions spéciales _____

d.

Nom du parc <u>Les Vikings</u>   Situé où? <u>Normandie, près de</u>

<u>Rouen (Pont-Audemer)</u>

_____

Superficie _____ ha

Thème principal _____

Coût de la construction _____ millions de FF

Année d'ouverture _____

Attractions spéciales _____

e.

Nom du parc <u>Futuroscope</u>   Situé où? <u>près de Poitiers</u>

_____

Superficie _____ ha

Thème principal _____

Coût de la construction _____ millions de FF

Année d'ouverture _____

Attractions spéciales _____

2. Comparons les cinq parcs dont vous avez entendu parler. Écoutez deux fois ces questions et écrivez la (les) lettre(s) correspondant au parc. (Repassez la bande si nécessaire et/ou arrêtez-la pour lire vos notes.) D'après les informations que vous avez recueillies...

1. _____

2. _____

3. _____

4. _____

5. _____

(Les réponses se trouvent en appendice.)

3. Maintenant, arrêtez la bande pour écrire les réponses aux questions suivantes.

1. Quels parcs d'attractions américains avez-vous visités? Lesquels avez-vous aimés le plus? Pourquoi?

_____

_____

2. Quel parc américain montreriez-vous à un ami étranger qui visite les États-Unis pour la première fois? Pourquoi?

_____

_____

Chapitre 15
Opinions et points de vue

PREMIÈRE PARTIE

Étude de vocabulaire

A. *Règles de conduite.* Écoutez deux fois la plate-forme d'un parti politique écologiste. Ensuite, transformez l'infinitif en *nom* et complétez les phrases ci-dessous.

1. _____La pollution_____ de l'environnement est scandaleuse.

2. _____ de la pollution est indispensable.

3. _____ des ressources naturelles est fondamentale.

4. _____ du recyclage est important.

5. Nous sommes responsables de _____ des animaux.

6. _____ de nos efforts est inévitable.

7. _____ de bons candidats est cruciale.

(Les réponses se trouvent en appendice.)

B. *Questions contemporaines.* Écoutez deux fois les explications suivantes, et encerclez la lettre correspondant à l'expression associée.

1. a. les ressources naturelles
   b. les voitures
2. a. l'utilisation de l'énergie solaire
   b. l'utilisation du pétrole
3. a. des déchets
   b. des solutions
4. a. les médias
   b. les conflits
5. a. le gaspillage
   b. le recyclage
6. a. une toute petite voiture
   b. un vélo

(Les réponses se trouvent en appendice.)

C. *Réagissez!* Écoutez deux fois les déclarations suivantes et donnez une réaction personnelle. Utilisez les expressions suggérées et précédez votre réponse par: *à mon avis, pour ma part* ou *personnellement.* (La réponse donnée est une réponse suggérée.)

MODÈLE: On doit arrêter la guerre. (je trouve que... [ne... pas] essentiel) →
Personnellement, je trouve qu'il est essentiel d'arrêter la guerre.

1. je crois que... (ne... pas) important...
2. j'estime que... utile/inutile...
3. je trouve que... (ne... pas) nécessaire...
4. je pense que... possible/impossible...

Étude de grammaire

53. Expressing attitudes: Regular subjunctive verbs

A. *Suggestions.* Plusieurs mois avant les élections pour le Conseil de l'université, Luc et Simon ont contacté Françoise. Ils voulaient absolument qu'elle pose sa candidature au Conseil. Et ils lui ont fait beaucoup de suggestions. En voici quelques-unes:

Maintenant arrêtez la bande et écrivez plusieurs des suggestions que les amis de Françoise lui ont faites. (Repassez la bande si nécessaire.)

Simon et Luc voulaient qu'elle...

_____ pose _____ sa candidature au Conseil.

_____ une campagne énergique.

_____ souvent pour parler avec l'électorat.

_____ toute la littérature de l'opposition.

_____ le Conseil en charge.

_____ pour les droits des étudiants.

_____ à persuader l'administration qu'ils ont raison.

(Les réponses se trouvent en appendice.)

B. *Conseils.* M. et Mme Lagrange donnent des conseils à leur fils Lucien qui cherche son premier emploi. Écoutez deux fois les suggestions du père. Ensuite, jouez le rôle de la mère en disant: <u>Ton père veut que</u>...

MODÈLE: Prends ton temps! → <u>Ton père veut que tu prennes ton temps.</u>

1. ...   2. ...   3. ...   4. ...   5. ...

54. Expressing attitudes: Irregular subjunctive verbs

A. *Différences d'opinion.* Voici deux personnes dont les opinions politiques diffèrent radicalement. Écoutez deux fois les déclarations suivantes, regardez le dessin et indiquez le nom de la personne qui aurait dit la phrase.

1.	Jérôme	Brigitte	4.	Jérôme	Brigitte
2.	Jérôme	Brigitte	5.	Jérôme	Brigitte
3.	Jérôme	Brigitte	6.	Jérôme	Brigitte

(Les réponses se trouvent en appendice.)

B. *Vendredi soir.* Que voulez-vous faire avec vos amis pendant le week-end? Écoutez deux fois les choix posés par vos amis et répondez-leur. (La réponse donnée est une réponse suggérée.)

> MODÈLE: Tu veux qu'on fasse une promenade ou qu'on travaille? →
> <u>Moi, je veux qu'on fasse une promenade.</u>

1. ...   2. ...   3. ...   4. ...   5. ...

55. Expressing wishes and opinions: The subjunctive

A. *Conseils.* M. Laborde est souvent d'accord avec ses enfants, Martin et Corinne. Parfois il n'est pas d'accord avec eux. Regardez le dessin et écoutez chaque remarque de M. Laborde. Indiquez s'il parle à Corinne ou à Martin.

1. Corinne   Martin
2. Corinne   Martin
3. Corinne   Martin
4. Corinne   Martin
5. Corinne   Martin
6. Corinne   Martin
7. Corinne   Martin

(Les réponses se trouvent en appendice.)

B. *Conseils aux jeunes.* M. Laborde parle à des jeunes qui vont voter pour la première fois. Écoutez deux fois ses propos et répétez-les en mettant *l'infinitif* à la place du subjonctif.

    MODÈLE: Il faut que vous compreniez les questions. → <u>Il faut comprendre les questions.</u>

1. ...   2. ...   3. ...   4. ...   5. ...

C. *Souhaits.* Quels sont les espoirs (*hopes*) de vos parents et des membres de votre famille à votre égard (*concerning you*)? Écoutez chaque question et les réponses de deux autres étudiants. Ensuite, répondez-y personnellement.

1. ...   2. ...   3. ...   4. ...

56. Expressing emotion: The subjunctive

A. *Maurice est désolé.* Il a eu une bonne amie, Claudette, qui ne veut plus le voir.

1. D'abord, écoutez une petite description de la situation de Maurice.

2. Maintenant, arrêtez la bande. Complétez les phrases suivantes en vous inspirant de l'histoire que vous venez d'entendre. Attention aux formes du subjonctif!

   1. Maurice regrette que Claudette ne _____ plus le voir.

   2. Il est désolé que certains amis la _____ encore.

   3. Il est furieux que Claudette ne _____ plus chez lui.

   4. Il doute qu'ils _____ se réconcilier maintenant.

   5. Il est content que Marie-Louise _____ toujours sa bonne amie.

   (Les réponses se trouvent en appendice.)

B. *Citoyens de l'Europe nouvelle.* Voici les commentaires de certains étudiants sur la politique de l'Europe unifiée. Écoutez chaque phrase et indiquez si la proposition subordonnée comporte un verbe au subjonctif. Encerclez I (indicatif) ou S (subjonctif).

   MODÈLES: Je souhaite qu'on vive en paix (*peace*).   I   Ⓢ

                  Il est clair que l'inflation persistera.   Ⓘ   S

   1. I   S   6. I   S
   2. I   S   7. I   S
   3. I   S   8. I   S
   4. I   S   9. I   S
   5. I   S

   (Les réponses se trouvent en appendice.)

C. *Et vous?* Quelles sont vos attitudes devant l'actualité (*current events*) politique? Écoutez chaque question. Répondez par écrit en utilisant le début de phrase qui vous est donné. (Arrêtez la bande si nécessaire pour écrire.)

   1. Je regrette que _____

   _____

2. J'ai peur que _____

_____

3. Je veux que _____

_____

4. Je (ne) suis (pas) certain(e) que _____

_____

DEUXIÈME PARTIE

Étude de prononciation

Les semi-voyelles: [ɥ], [w] et [j]

1. Écoutez et répétez les mots suivants.

   [ɥ]   huit / fruit / duel / tuer / nuage / cuisine /
   [w]   moi / moins / oui / quoi / revoir / Louis /
   [j]   bien / Marseille / science / voyage / famille /

2. Écoutez et répétez les phrases suivantes.

   • Il découvre les ruines à minuit le huit juillet.
   • Quoi? Moi, je leur dis au revoir au moins trois fois.
   • Oui, trois cuillerées d'huile et un nuage de lait.
   • L'oreiller, c'est un appareil-sommeil.
   • Linda est une étudiante américaine en première année de faculté à Montpellier.

Situation

L'Amérique en question. Linda questionne des copains (*friends*) francophones.

1. Écoutez la conversation (*Rendez-vous*, p. 466) en faisant attention aux opinions exprimées par les amis de Linda.

2. Voici certaines questions que Linda pose à ses amis français. Écoutez deux fois la question et lisez les deux réponses possibles. Choisissez la réponse donnée dans le dialogue en encerclant *a* ou *b*.

   1. a. Ils ne pensent qu'à l'argent.
      b. Ils suivent la mode française.

2. a. les exploits techniques et scientifiques, le cinéma, les grands mouvements
   b. les ressources naturelles, les parcs nationaux
3. a. Nous n'aimons pas que les états exercent un contrôle local.
   b. Nous n'aimons pas que le président ne soit pas spécialiste.
4. a. Oui, elle est la même depuis vingt-cinq ans.
   b. Non, il y a des cycles d'opinion.
5. a. le racisme, la drogue, la violence
   b. la guerre, le chômage, l'inflation
6. a. Il y a très peu de protection sociale.
   b. Il y a trop de violence dans les grandes villes.
7. a. votre matérialisme
   b. votre esprit ouvert

(Les réponses se trouvent en appendice.)

Prenez l'écoute!

A. *L'Europe unifiée.* Voici une petite description de la Communauté Économique Européenne (appelée aussi la CEE ou le Marché commun). D'abord, savez-vous quels en sont les pays membres?

1. Écoutez le speaker et écrivez sur la carte ci-dessous le nom de chacun des pays formant la Communauté Économique Européenne. (Repassez la bande si nécessaire.)

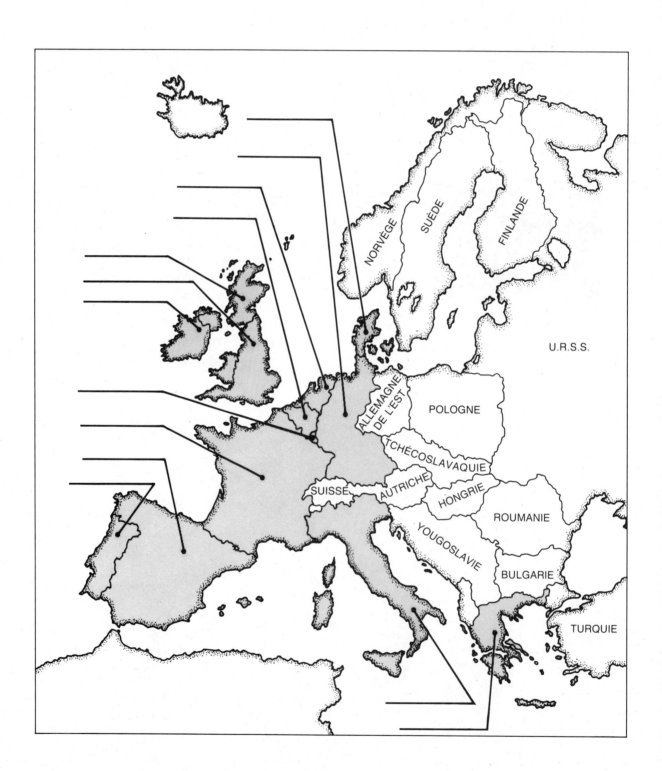

Chapitre 15 Opinions et points de vue

2. Vous écoutez un programme d'actualités à la radio. Le speaker parle de l'unification de l'Europe. Écoutez-le en regardant la liste suivante. Cochez les éléments qui sont associés avec la Communauté Européenne.

    ___X___ la libre circulation aux frontières (*borders*)

    _____ une langue unique

    _____ un passeport unique

    _____ un marché international de produits et de services

    _____ des échanges de technologies

    _____ des douanes (*customs agencies*) en commun

    _____ des lois commerciales et financières communes

    _____ des programmes de protection de l'environnement en commun

    _____ une monnaie (*currency*) unique

    _____ un seul gouvernement

    _____ une politique étrangère unifiée

    _____ une culture unique

    _____ l'équivalence des diplômes universitaires

    _____ des programmes de protection sociale coordonnés

    _____ des échanges universitaires

    _____ un nouveau drapeau (*flag*)

(Les réponses se trouvent en appendice.)

3. Maintenant, la bande arrêtée, répondez par écrit aux questions suivantes, selon vos propres idées.

   a. En deux ou trois phrases, dites quels sont, selon vous, les *avantages* de la Communauté européenne.

   _____

   _____

   _____

   _____

   b. Voyez-vous des problèmes immédiats ou éventuels dans le système de l'Europe unifiée proposé? Précisez.

   _____

   _____

   _____

B. *Et vous*? Voici quelques questions sur vos projets d'avenir. Écoutez chaque question et complétez par écrit les débuts de réponse donnés. Après, ajoutez vos raisons (*parce que...*).

   1. Oui/Non, il (n')est (pas) possible que _____

      _____ parce que _____.

   2. Oui/Non, il (n') est (pas) temps que _____

      _____ parce que _____.

   3. Oui/Non, il (n')est (pas) normal que _____

      _____ parce que _____.

   4. Oui/Non, il (n') est (pas) probable que _____

      _____ parce que _____.

Chapitre 16
La France et son patrimoine

PREMIÈRE PARTIE

Étude de vocabulaire

A. *Souvenirs de l'histoire de France.* Écoutez la description des personnes ou des lieux suivants. Écrivez le nom de la personne, du bâtiment ou du lieu à côté de l'époque associée. (Repassez certains passages si nécessaire.)

MODÈLE: La tour Eiffel a été construite à Paris pour une grande exposition universelle. Cette exposition fêtait le 100e anniversaire de la Révolution française. De quelle époque est la tour Eiffel?

- l'époque romaine _____ _____

- le moyen âge _____ _____

- la Renaissance _____ _____

- l'époque classique _____ _____

- l'époque moderne _____la tour Eiffel_____ _____

1. ...   2. ...   3. ...   4. ...   5. ...   6. ...   7. ...

B. *Personnalités.* Écoutez les descriptions suivantes et associez chacune avec un des noms qui se trouvent dans votre cahier. Donnez aussi le siècle associé.

Christophe Colomb (v. 1451–1506)   Benjamin Franklin (1706–1790)
Guillaume, le conquérant (1027–1087)   Jeanne d'Arc (v. 1412–1431)
Louis XIV (1638–1715)   François Mitterrand (1916–)
Napoléon Bonaparte (1769–1821)   Louis Pasteur (1822–1895)

MODÈLE: C'était un roi très puissant (*powerful*) qui a fait construire le palais de Versailles. C'est lui qui disait: «L'État, c'est moi.» → <u>C'est Louis XIV. Il est du dix-septième siècle.</u>

1.   ...   2.   ...   3.   ...   4.   ...   5.   ...   6.   ...   7.   ...

C. *Mes perceptions*. Écoutez deux fois chaque question. Complétez chaque réponse par écrit avec la forme appropriée du verbe *recevoir*, *percevoir* ou *s'apercevoir (de)*.

MODÈLE: Est-ce que ton ami te téléphonera demain? →
<u>Oui, je recevrai sans doute son coup de téléphone.</u>

1.   J'(e) _____ le prof de français qui faisait la queue.

2.   Oui, j'(e) _____ une lettre de mon ami.

3.   J'(e) _____ un chèque de mes parents.

4.   Oui, j'(e) _____ qu'il est fatigué.

5.   J'(e) _____ de jolis arbres et des étudiants qui se promènent.

(Les réponses se trouvent en appendice.)

D. *Il est interdit* (forbidden) *de...* Saviez-vous que les parcs nationaux français—comme le Mercantour, l'Île de Port-Cros et le Vercors—imposent des règles de conduite assez strictes aux visiteurs? Écoutez quelques règles et les objections d'un visiteur qui ne les aime pas. Ensuite, donnez une réaction personnelle: «Moi, je crois que... » (Il n'y a pas de réponses suggérées.)

1.   ...   2.   ...   3.   ...   4.   ...   5.   ...

Étude de grammaire

57. Talking about the past: The pluperfect

A. *Cédric est toujours en retard*. Racontez ses aventures en mettant le premier verbe que vous entendez au plus-que-parfait.

MODÈLE: Laurent a fini le travail... et moi je commence. (...quand j'ai commencé) →
<u>Laurent avait déjà fini le travail quand j'ai commencé.</u>

... quand je me suis levé
... quand je suis arrivé
... quand j'ai commandé mon dîner
... quand j'ai planté mon jardin

B. Imaginez que vous avez été très en retard ce matin. Écoutez deux fois chaque début de phrase. Complétez-les par écrit avec une réponse personnelle qui utilise le plus-que-parfait. (Il n'y a pas de réponses suggérées.)

> MODÈLE: Quand je me suis couché(e), le soleil... →
> Quand je me suis couché(e), le soleil s'était déjà levé.

1. ... _____

2. ... _____

3. ... _____

4. ... _____

5. ... _____

58. Speculating: The past conditional

A. *Regrets.* En été 1989, Paris, qui fêtait le Bicentenaire de la Révolution française, était rempli de touristes. Écoutez deux fois les questions suivantes. Répondez-y en jouant le rôle de quelqu'un qui a des regrets... (Utilisez des pronoms dans votre réponse.)

> MODÈLE: Es-tu allé(e) à Paris pour le Bicentenaire? → <u>Non, mais j'aurais dû y aller.</u>

1. ...   2. ...   3. ...   4. ...   5. ...

B. *Est-ce que votre vie aurait été différente... ?* Écoutez deux fois chaque question. Ensuite, répondez par écrit en utilisant le conditionnel passé. (Il n'y a pas de réponse suggérée.)

> MODÈLE: Est-ce que votre vie aurait été différente si vous aviez choisi une autre université? →
> <u>Oui, si j'avais étudié à Boston, j'aurais eu froid tout l'hiver!</u>

1. Oui/Non, s'ils _____

_____

_____

2. Oui/Non, si je _____

_____

_____

3. Oui/Non, si j(e) _____

_____

_____

59. Talking about quantity: Indefinite adjectives and pronouns

A. *A la fin des travaux...* Clément et ses amis sont en train de refaire les bâtiments d'un village ancien. Utilisez une forme de l'adjectif *tout*, selon le modèle.

    MODÈLE: Tous les villages vont être refaits. —Et ces maisons? →
                      <u>Oui, toutes ces maisons vont être refaites.</u>

   1. ...   2. ...   3. ...   4. ...   5. ...

B. *Notre patrimoine naturel.* Un écologiste parle de la sauvegarde des ressources naturelles. Transformez les phrases en utilisant une forme de *chacun* ou *quelques-uns*.

    MODÈLE: Cet héritage existe pour chaque habitant. → <u>Cet héritage existe pour chacun.</u>

- Chaque citoyen doit apprécier les ressources naturelles.
- Quelques personnes en profitent.
- Quelques hommes politiques comprennent nos efforts.
- On s'adresse à chaque fondation.
- Quelques organisations écologistes font des progrès.

C. *Un avenir meilleur?* Le speaker décrit certains rêves pour l'avenir. Écoutez deux fois chaque affirmation et transformez-la en utilisant le pronom *tout*, *tous* ou *toutes* selon le modèle.

    MODÈLE: Tous les gens auront assez à manger. → <u>C'est vrai. Tous auront assez à manger.</u>

   1. ...   2. ...   3. ...   4. ...   5. ...

D. *Événements d'hier.* Écoutez chaque question et donnez une réponse personnelle. Suivez les modèles. (Il n'y a pas de réponses suggérées.)

    MODÈLES: Est-ce que vous avez vu quelque chose de drôle hier? →
                      <u>Oui. C'était le prof de français qui portait un chapeau bizarre.</u>

                   Avez-vous rencontré quelqu'un de célèbre récemment? →
                   <u>Non, je n'ai rencontré personne de célèbre.</u>

                   Avez-vous acheté quelque chose de cher récemment?→
                   <u>Non, je n'ai rien acheté de cher.</u>

   1. ...   2. ...   3. ...   4. ...   5. ...

DEUXIÈME PARTIE

Étude de prononciation

Des consonnes

1. *Les sons* [r] *et* [l]. Le *r* anglais est prononcé à l'avant de la bouche: *sports*, *rose*; le *r* français est généralement prononcé au fond (*back*) de la bouche: *sport*, *rose*. Écoutez et prononcez:

    sport / rose / arrive / soir / février
    un cours de sport
    la terre de mon frère
    une rue romaine

Le *l* français est prononcé à l'avant de la bouche. La langue s'appuie sur (*presses against*) les dents supérieures: *le lac, la librairie*. Écoutez et prononcez:

> livre / mademoiselle / calme / bleu / avril
> un film à la faculté
> lisez-le lundi
> Salut! Allons-y!

2. *Les sons* [p], [t], [k]. Les consonnes *p, t* et *k* <u>ne sont pas</u> aspirées en français. Écoutez et prononcez:

> les parents de Catherine
> préparent une surprise-partie
> une personne réaliste
> ne téléphone pas trop tard

3. Écoutez et prononcez les propos suivants en faisant attention aux consonnes.

- Il est absolument spectaculaire, ce village: il est bâti sur un rocher.
- Maintenant, regarde la vue du côté de la Méditerranée.
- Quel panorama splendide! Les couleurs sont si brillantes.
- Demain nous pourrions aller voir la chapelle Matisse,
  le musée Picasso ou la maison de Renoir.

Situation

Un village perché. Francine et Karen font le tour de Saint-Paul-de-Vence.

1. Écoutez la conversation (*Rendez-vous*, p. 498). Faites particulièrement attention aux réactions exprimées par Karen.

2. *Qu'est-ce qu'on dit... pour exprimer l'admiration*? Imaginez que vous visitez la ville fortifiée de Carcassonne dans les Pyrénées. Écoutez votre guide qui vous décrit le site. Choisissez une expression d'admiration dans la liste suivante. (La réponse donnée est une réponse suggérée.)

(D'après un dessin de A. Robida).

La cité de Carcassonne.

Mais elle est absolument spectaculaire, cette forteresse!
Je n'ai jamais rien vu d'aussi beau!
Quel panorama splendide!
Ça alors! Je crois rêver.
C'est incroyable!
Quel pays de légende!

MODÈLE: Au moyen âge, les armées ont souvent mis le siège à Carcassonne. Les populations de la région s'y sont réfugiées. → Ça alors! Je crois rêver.

1. ...   2. ...   3. ...   4. ...   5. ...

Prenez l'écoute!

A. *Les opinions de Linda sur la France.* Linda continue sa discussion avec des amis francophones.

1. Écoutez leur conversation une première fois. Ensuite, repassez la bande et complétez les phrases suivantes. (Les réponses ne sont pas données.)

   1. Selon Linda, quand les Américains pensent à la France, ils pensent à _____

   _____

   _____

   2. Aux yeux des Américains, les stéréotypes français consistent en _____

   _____

   _____

   3. Nommez quelques traits de caractère typiques des Français, selon Linda. _____

   _____

   _____

   4. Qu'est-ce que certains Américains ne comprennent pas chez les Français, selon Linda? _____

   _____

   _____

2. *Associations.* Voici certains aspects de la France qui intéressent les Américains, selon Linda. Écoutez ses propos; regardez les noms propres qui suivent et encerclez *a* ou *b,* pour indiquer l'individu associé.

MODÈLE: Quand je pense à l'histoire de France, cette personne me vient à l'esprit.
       a.   Jeanne Moreau
      (b.) Jeanne d'Arc

1. a. Napoléon
    b. Louis XIV
2. a. Charles de Gaulle
    b. Charlemagne
3. a. Paris
    b. Bordeaux
4. a. Claude Monet
    b. Auguste Rodin

5. a. le fromage de Brie
    b. la cathédrale de Chartres
6. a. Victor Hugo
    b. Marie Curie
7. a. Maurice Chevalier
    b. René Descartes
8. a. François Mitterrand
    b. Émile Zola

(Les réponses se trouvent en appendice.)

B. Voici quelques questions sur vos ancêtres (*ancestors*) et vous. Écoutez deux fois chaque question et répondez-y par écrit. (Il n'y a pas de réponses suggérées.)

1. _____

2. _____

3. _____

4. _____

Chapitre 17
Le monde francophone

PREMIÈRE PARTIE

Étude de vocabulaire

A. *Un voisin.* Connaissez-vous la géographie canadienne? Arrêtez la bande pour regarder la carte suivante. Ensuite, écoutez deux fois les questions et répondez-y, toujours en regardant la carte.

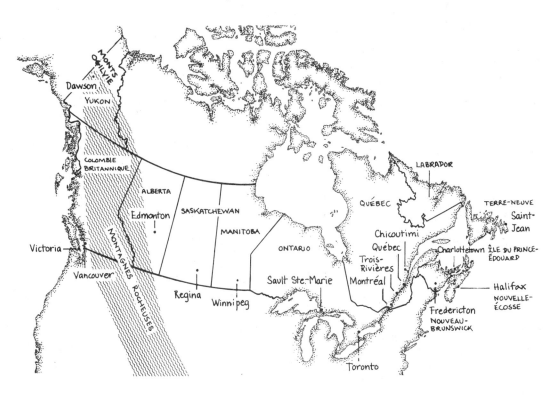

MODÈLE: Quelle est la plus grande province du Canada? → <u>Le Québec.</u>

1. ...   2. ...   3. ...   4. ...   5. ...   6. ...   7. ...   8. ...

B. *Le français dans le Nouveau Monde.* Écoutez la question ou le début de phrase et encerclez la lettre correspondant à la réponse logique.

1. a. Haïti, la Martinique et la Guadeloupe
   b. New York et la Nouvelle-Angleterre
2. a. québécoise
   b. francophone
3. a. quitter le Canada
   b. s'établir au Canada
4. a. seulement à La Nouvelle-Orléans
   b. en Louisiane et en Nouvelle-Écosse

5. a. sont encore des territoires français
   b. sont devenues anglaises en 1755
6. a. acheté des territoires à Napoléon
   b. vendu la Louisiane à Napoléon
7. a. les défilés du Mardi Gras
   b. les défilés du Vendredi Saint

(Les réponses se trouvent en appendice.)

C. *Vos origines.* Écoutez ces questions sur les origines de votre famille, puis répondez-y. (Il n'y a pas de réponses suggérées.)

1. ...   2. ...   3. ...   4. ...   5. ...

Étude de grammaire

60. Linking ideas: Conjunctions used with the subjunctive

A. *Le français au Maghreb* (French-speaking North Africa). Quelle est actuellement (*currently*) la place de la langue française dans les états de l'Afrique du Nord?

1. Écoutez parler deux Algériens, Ahmad et Safia, et leur ami français, M. Tixier. Ensuite, faites l'exercice qui suit.

2. Écoutez deux fois certaines questions qu'on pose à Ahmad et à Safia. Ensuite, composez une réponse à chaque question en utilisant les éléments donnés.

   1. on / y parler français / bien que / arabisation / être / fondamental
   2. français / nécessaire / pour que / habitants / avoir accès à / technologie / moderne
   3. quoique / l'arabe / être / langue / officiel / plus de / Algérien / parler / français / aujourd'hui / que / avant / indépendance

B. *Un safari*. Albert est assez timide. Mais il a l'intention de partir en safari... Écoutez deux fois les propos suivants. Ensuite, décrivez les intentions d'Albert avec «Albert partira... », selon les modèles.

MODÈLES: Albert a peur, n'est-ce pas? (bien que) →
Albert partira bien qu'il ait peur.

Il fait beau temps, n'est-ce pas? (pourvu que) →
Albert partira pourvu qu'il fasse beau temps.

1. (pourvu que) 4. (sans que)
2. (avant que) 5. (avant que)
3. (quoique)

61. Expressing subjective viewpoints: Alternatives to the subjunctive

A. *Pensées*. Sylvie, qui habite à La Nouvelle-Orléans, a invité son ami Jeff à fêter le Mardi Gras avec elle. Écoutez deux fois les idées de Jeff, un jeune homme très réservé. Ensuite, choisissez dans la liste suivante une remarque que Sylvie aurait faite sur le même sujet, et dites-la.

MODÈLE: Sylvie voudrait que je vienne au carnaval. →
«J'en suis sûre... Jeff voudrait venir au carnaval.»

Je sais que Jeff est timide... mais il lui faudra simplement me suivre.
J'espère qu'il prendra ses billets le plus tôt possible.
Il aimerait bien se déguiser... C'est sûr!
Mmm... avant de partir, il va recevoir ma deuxième lettre.
J'en suis sûre... Jeff voudrait venir au carnaval.
Voyons... Il est possible que Jeff perde courage.

1. ...   2. ...   3. ...   4. ...   5. ...

B. *Voyage au Québec.* Le père de Janine lui communique les désirs de ses parents québécois. Jouez le rôle de Janine. Répétez les propos de son père en les transformant selon les modèles. Utilisez le verbe *espérer* et le futur.

MODÈLES: Tes tantes souhaitent que tu passes de bonnes vacances. →
Elles espèrent que je passerai de bonnes vacances.

On veut aussi que tu restes pour le Carnaval. →
On espère que je resterai pour le Carnaval.

1. Marie   2. Tes cousins   3. Jean   4. Ta cousine Régine   5. elle

C. *Une histoire véritable: L'invention des patins à roulettes*

1. Écoutez l'histoire suivante en regardant les dessins à la page 172. Faites particulièrement attention à la succession d'événements. (Repassez la bande si nécessaire.)

2. Écoutez deux fois les débuts de phrase suivants et choisissez la fin de phrase qui les complète, selon l'histoire ci-dessus. (Repassez la bande si nécessaire.)

   1. a. avant de les perfectionner.
      b. avant de les compléter.
   2. a. pour pouvoir jouer du violon.
      b. pour traverser une salle de bal.
   3. a. afin de faire une entrée spectaculaire en patinant.
      b. afin de gagner beaucoup d'argent en les vendant.
   4. a. sans voir le gros miroir.
      b. sans pouvoir s'arrêter à temps.

   (Les réponses se trouvent en appendice.)

D. *Et vous*? Quelles sont vos obligations comme étudiant? Écoutez chaque question. Répondez-y oralement en utilisant les expressions suggérées devant un infinitif. (Il n'y a pas de réponses suggérées.)

   MODÈLE: Pour entrer à votre université, que faut-il faire? (pour) →
   Pour y entrer, il faut se présenter, et il faut avoir de bonnes notes au lycée.

   1. (pour)   4. (à condition de)
   2. (sans)   5. (avant de)
   3. (afin de)

DEUXIÈME PARTIE

Étude de prononciation

Les consonnes finales. La majorité des consonnes finales en français sont muettes (= pas prononcées). Pourtant, les consonnes finales de certains mots sont prononcées. Essayez toujours d'imiter l'exemple de votre professeur et d'autres francophones.

1. Écoutez et répétez les mots suivants. Faites particulièrement attention aux consonnes finales prononcées et soulignez-les (*underline them*).

MODÈLE: du bœu_f_ frais

une mer d'azur	le tennis international
un père attentif	le concours initial
un rôti de porc	la clef retrouvée
le sud-est	l'hôtel blanc
le passager africain	un loyer modeste
le short chic	un serveur gentil

(Les réponses se trouvent en appendice.)

2. Écoutez les deux expressions et soulignez celle dont (*the one whose*) la consonne finale <u>n'est pas</u> prononcée.

MODÈLE: un œuf   des <u>œufs</u>

1.	le lac	le tabac
2.	les bœufs	le bœuf
3.	dîner	fier
4.	la mer	le premier
5.	le fils	le tapis
6.	l'œuf	la clef
7.	le sud	le nord

(Les réponses se trouvent en appendice.)

3. Répétez les phrases suivantes en soulignant les consonnes finales *prononcées*.

• Le gentil chef cuisinier,
• avec son grand sac neuf et très sportif,
• prend le dernier vol normal pour le Portugal.
• Au printemps, je vais à l'Hôtel du Lac
• dans le quartier chic et cher
• de l'Hôpital Lafleur.

(Les réponses se trouvent en appendice.)

Situation

Promenade à La Nouvelle-Orléans. Corinne Legrand, une Louisianaise, fait le tour de La Nouvelle-Orléans avec des parents venus de France.

1. Écoutez la conversation (*Rendez-vous*, p. 523). Essayez de suivre l'histoire francophone de la Louisiane, d'après l'explication de Corinne.

2. *Le culte vaudou.* Écoutez deux fois ces questions. Lisez les réponses possibles et encerclez la réponse qui convient au dialogue que vous avez écouté.

    1. a. C'est un mélange de croyances locales et de catholicisme.
         b. C'est un culte d'invention tout à fait moderne.
    2. a. Ses origines se retrouvent dans le sud des États-Unis.
         b. Ses origines sont liées à l'histoire des Antilles françaises.
    3. a. Oui, et les Portugais les ont aussi colonisées.
         b. Oui, mais ce sont les Français qui les ont colonisées.
    4. a. Le commerce des esclaves venus d'Afrique fournissait de la main-d'œuvre aux plantations.
         b. Les propriétaires embauchaient des ouvriers agricoles français.
    5. a. Le culte vaudou avait toujours existé en Louisiane.
         b. Beaucoup d'esclaves et d'anciens esclaves antillais sont venus en Louisiane à partir de 1794.
    6. a. Oui, mais Corinne ne veut pas en discuter maintenant.
         b. Non, il a entièrement disparu de la région.

(Les réponses se trouvent en appendice.)

Prenez l'écoute!

A. *Le français en Afrique, en Europe et dans l'océan Pacifique*

    1. Écoutez ces descriptions et trouvez le pays décrit sur la carte. Écrivez le numéro de la description à côté du pays ou de la région.

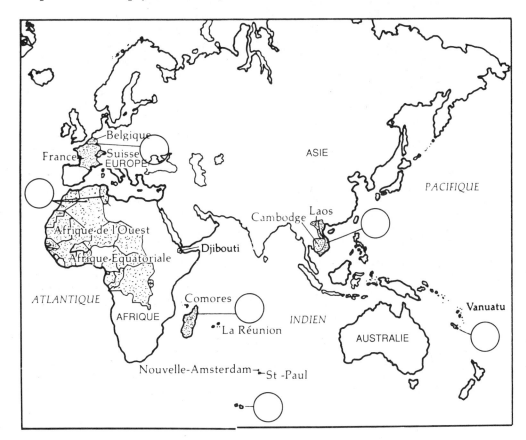

(Les réponses se trouvent en appendice.)

2. Maintenant, arrêtez la bande. Regardez la carte encore une fois. La bande toujours arrêtée, devinez (*guess*) le nom du pays ou de la région décrit et écrivez-le à côté de son numéro. (Repassez la bande si nécessaire.)

1. _____

2. _____

3. _____

4. _____

5. _____

6. _____

(Les réponses se trouvent en appendice.)

B. *Francophonie: le troisième Sommet.* Voici un reportage sur le troisième congrès des pays utilisant le français comme langue officielle ou secondaire.

Du 24 au 26 mai

Francophonie : Le 3e Sommet s'est tenu à Dakar

1. Écoutez le reportage une première fois.

2. Maintenant, arrêtez la bande et indiquez si les affirmations suivantes sont vraies (V) ou fausses (F) selon le reportage. Si la phrase est fausse, corrigez-la.

1. Le troisième Sommet de la Francophonie a eu lieu en 1985 à Dakar au Sénégal.   V   F

_____

_____

2. Le deuxième Sommet s'était tenu à Québec.   V   F

_____

_____

3. Le président actuel du Sénégal s'appelle Abdou Diouf.   V   F

_____

_____

4. Quarante-quatre délégations de pays francophones se sont réunies au troisième Sommet.   V   F

_____

_____

5. Le président Mitterrand n'a pas pu assister à ce congrès.   V   F

_____

_____

6. La Suisse avait aussi participé aux deux premiers Sommets.   V   F

_____

_____

7. A Dakar, on a restauré et aménagé plusieurs hôtels et lieux de cérémonie.   V   F

_____

_____

(Les réponses se trouvent en appendice.)

C. *Mon usage du français.* On vous a demandé d'expliquer pourquoi vous étudiez le français. Écoutez les débuts de phrase suivants, puis écrivez le début de phrase et complétez-le personnellement. Utilisez un infinitif ou un subjonctif. (Arrêtez la bande si nécessaire pour écrire.)

1. _____

_____

2. _____

_____

3. _____

_____

4. _____

_____

Chapitre 18
La société contemporaine

A. Une légende moderne: *Le Petit Prince* d'Antoine de Saint-Exupéry

1. Écoutez cette histoire une ou deux fois en faisant attention aux détails: Où se passe-t-elle? Qui sont les personnages? D'où viennent-ils? Qu'est-ce qui leur arrive? Où vont-ils à la fin? (Repassez certains passages si nécessaire.)

Voici des expressions qui vous seront utiles:

une panne (*breakdown*)	un renard (*fox*)
le lendemain (*the day after*)	l'amitié (*friendship*)
un atterrissage (*landing*)	le Sahara (*Sahara* [*desert*])

Francine et Jacques font le résumé d'une histoire pour leur jeune amie Cécile.

2. *Le Petit Prince.* Écoutez deux fois ces questions et répondez en quelques mots à chaque question. (Arrêtez la bande si nécessaire pour écrire.)

1. _____

2. _____

3. _____

4. _____

5. _____

6. _____

(Les réponses se trouvent en appendice.)

B. *Un conte populaire:* Djeha et les brochettes

Les histoires de Djeha représentent une tradition très vivace (*lively*) dans les milieux populaires de l'Afrique du Nord. Elles sont utilisées en France pour enseigner le français aux enfants immigrés, pour familiariser les enfants français avec la culture maghrébine et pour intéresser les adultes qui apprennent le français.

1. Écoutez la première partie de l'histoire. Ensuite, repassez la bande et écoutez-la une deuxième fois pour faire l'exercice qui suit. (Repassez certains passages si nécessaire.)

Voici des expressions qui vous seront utiles:

    des brochettes (*grilled meat on a skewer*)
    qui cuisaient (*that were cooking* [cuire])
    la fumée (*smoke*)
    la graisse (*fat, grease*)
    en colère (*angry*)
    le cadi (*traditional Moslem judge*)

2. Arrêtez la bande et mettez le actions suivantes en ordre chronologique (de 1 à 5) selon la première partie de l'histoire.

    _____ Djeha a acheté un morceau de pain et est revenu devant le marchand de brochettes.

    _____ Le marchand de brochettes lui a demandé de l'argent.

    _____ Un jour au marché, Djeha, qui avait faim, a senti la bonne odeur de viande.

    _____ Djeha a mangé son pain.

    _____ Djeha a tenu son pain au-dessus des brochettes qui cuisaient.

    (Les réponses se trouvent en appendice.)

3. Maintenant, écoutez la deuxième partie de l'histoire. Ensuite, écoutez-la encore une fois pour faire l'exercice qui suit. (Repassez certains passages si nécessaire.)

Voici des expressions qui vous seront utiles:

    un dinar (*North African currency* [5 dinars = $1 US, approx.])
    l'affaire (*matter, situation*)

4. Vous allez entendre certains propos. Écoutez-les deux fois et indiquez qui les aurait dits—le cadi, le marchand ou Djeha—selon l'histoire que vous venez d'entendre.

    1. Le cadi   Le marchand   Djeha
    2. Le cadi   Le marchand   Djeha
    3. Le cadi   Le marchand   Djeha
    4. Le cadi   Le marchand   Djeha
    5. Le cadi   Le marchand   Djeha
    6. Le cadi   Le marchand   Djeha

    (Les réponses se trouvent en appendice.)

5. *Racontez-nous*. Arrêtez la bande. Étudiez les dessins suivants et, la bande toujours arrêtée, écrivez un petit dialogue original qui correspond à chaque dessin, selon l'histoire de Djeha.

1. DJEHA: _____

2. DJEHA: _____

   LE MARCHAND: _____

   DJEHA: _____

   LE MARCHAND: _____

3. DJEHA: _____

   LE MARCHAND: _____

   LE CADI: _____

   DJEHA: _____

   LE MARCHAND: _____

   LE CADI: _____

   _____

   _____

C. *L'as-tu vue, la Joconde?*

Croyez-vous qu'il existe le crime parfait? Comment peut-on commettre un crime aussi astucieux que celui que nous allons vous raconter, un crime qui a frustré la police d'au moins quatre pays?

1. Écoutez cette histoire en deux parties. Faites attention aux détails: Qui était l'auteur de ce crime? Quand le crime a-t-il eu lieu? Quelles étaient les circonstances? Quel était le destin des criminels? (Repassez la bande avant de faire l'exercice qui suit.)

Voici des expressions qui vous seront utiles:

le vol (*theft*)
une blouse (*coveralls*)
décrocher (*unhook*)
les voleurs (*thieves*)

2. *Le vol de* la Joconde. Écoutez deux fois les débuts de phrase suivants et encerclez la réponse qui complète la phrase, selon l'histoire.

1. a. un dimanche, en présence des visiteurs et des touristes.
   b. un lundi, lorsque des ouvriers travaillaient dans les galeries.
2. a. parce qu'il y avait travaillé.
   b. parce qu'il y avait passé des heures à contempler les chefs-d'œuvre.
3. a. parce qu'il voulait en vendre des copies déjà faites.
   b. parce qu'il voulait en faire une copie.

(Les réponses se trouvent en appendice.)

3. Écoutez la deuxième partie de l'histoire en faisant attention aux détails. (Repassez la bande avant de faire l'exercice qui suit.)

Voici des expressions qui vous seront utiles:

une enquête (*investigation*)
qu'est-ce qu'il est devenu? (*what became of him?*)
prendre sa retraite (*to retire*)
les complices (*accomplices*)

4. La Joconde *visite l'Italie*. Écoutez deux fois les affirmations suivantes. Indiquez si elles sont vraies (V) ou fausses (F) selon l'histoire.

1. V   F   4. V   F
2. V   F   5. V   F
3. V   F   6. V   F

(Les réponses se trouvent en appendice.)

APPENDICE: RÉPONSES AUX EXERCICES

Premier Rendez-vous

III. La communication en classe   1. P   2. É   3. É   4. P   5. P   6. P   7. É   8. É

V. Les nombres de 20 à 60   **A.** *Dans l'économat.*   1. 12,   2. 47,   3. 52,   4. 6,
5. 35,   6. 13   **B.** *A la réception.*
Aimée: 59-22-<u>36</u>-17;   Bernard: 18-<u>24</u>-30-21;   Jacqueline: 36-13-59-<u>16;</u>   Marie: 27-<u>39</u>-14-08

Prenez l'écoute!   *Messages pour le professeur.*

   I.   Éric, un étudiant; question; 06-38-12; oui
   II.   Marie-Hélène, une camarade; dire bonjour; 11-35-56; non

Chapitre 1

Étude de vocabulaire   **A.** *Un rêve.* bureau (bizarre); bibliothèque (bizarre); Fac des lettres (bizarre); café (normal); restaurant (bizarre); cinéma (normal)   **C.** *Une matinée studieuse.*

	UNIVERSITÉ DE CAEN				
Nom:	*Jeannette Rozard*				
heure jour	lundi	mardi	mercredi	jeudi	vendredi
8 h.°	*histoire*		*histoire*		*histoire*
9 h.		*statistique*		*statistique*	
10 h.	*économie politique*	→	→	→	→
11 h.	*japonais*	*japonais*	*labo*	*japonais*	*labo*
12 h.					
13 h.					

Étude de grammaire   **2. Expressing quantity: Plural articles and nouns**   **B.** *Un cours difficile.*   1. S,   2. P,   3. S,   4. P,   5. S,   6. P,   7. P,   8. S   **3. Expressing actions: -er verbs**   **A.** *A la cité-U.*   1. je regarde,   2. on parle,   3. j'étudie,   4. nous écoutons,   5. j'aime mieux organiser   **B.** *Une soirée à la cité-U.*   1. Chantal, 2. Arlette,   3. Chantal,   4. Arlette,   5. Marie-France

Chapitre 2

Étude de vocabulaire   **B.** *Des étudiants typiques.* Suzanne is wearing a pullover sweater, a jacket, jeans, brown boots, a knapsack. Jean-Paul is wearing a sports jacket and pants, white shirt and tie, black shoes, a hat.   **Étude de grammaire**   **6. Describing people and things: Descriptive adjectives** **A.** *Une amie indispensable.*   (2) 1. F,   2. F,   3. V,   4. V   **7. Getting information: Yes/No questions**   **A.** *Au Prisunic.*   1. Richard,   2. Monique,   3. Émilie,   4. Sylvain, 5. Cassandre   **Prenez l'écoute!**   **A.** *Énormes rabais !*   (1) 1. F,   2. F,   3. V,   4. F

Chapitre 3

Étude de grammaire **10. Expressing possession and sensations: The verb <u>avoir</u>** **A.** *Une vie riche.* de bons amis; des cours intéressants; un micro-ordinateur; un petit appartement; un canapé confortable; des profs intelligents **12. Getting information: <u>où, quand, comment,pourquoi</u>, etc.** **B.** *Une demande de logement.* 1. D'où êtes-vous? 2. Qu'est-ce que vous étudiez? Où étudiez-vous? 3. De quoi jouez-vous? (Jouez-vous d'un instrument?) 4. Combien d'amis avez-vous? Où passez-vous votre temps? 5. Quand avez-vous besoin de la chambre? (Quand commencez-vous à louer?) **Prenez l'écoute!** **A.** *Chambre à louer.*

Oui: calme; parking; salle de bains privée; moins de 800 F
Non: grand lit; étagère; fenêtre qui ne donne pas sur la rue
Pas certain: piano; préparer des repas; visiteurs

Chapitre 4

Étude de vocabulaire **B.** *Chez les Dubois.* 1. F, 2. V, 3. F, 4. V, 5. F, 6. F, 7. V, 8. F **Étude de grammaire** **13. Expressing possession: <u>mon</u>, <u>ton</u>, etc.** **B.** *Notre arbre généalogique.* (2) 1. C'est sa tante. 2. C'est son oncle. 3. C'est son frère. 4. Ce sont ses grands-parents. 5. Ce sont ses cousins. **Prenez l'écoute!** **A.** *Projets de vacances.* (2) 1. vacances/Noël 2. du ski 3. la famille/son ami 4. quatre/mère/ père/frère 5. appartement/Megève 6. louer 7. huit/deux ou trois 8. ses skis/petite valise

Chapitre 5

Étude de vocabulaire **E.** *Quelle heure est-il?* 1. 7:25; 2. 12:50; 3. 3:25; 4. 4:00; 5. 8:15; 6. 9:05 **Étude de grammaire** **17. Talking about food and drink: <u>–re</u> verbs: <u>prendre</u> and <u>boire</u>** **B.** *Études de viticulture.* (2) 1. de viticulture, 2. faire du vin, 3. vin de Bordeaux, 4. apprécie la qualité du vin, 5. trop jeune, 6. un autre vin **Prenez l'écoute!** **A.** *Un chef apprenti.* (1) 3, 1, 5, 4, 2 (2) 1. 165 degrés C.; 2. 15 à 18 minutes; 3. métal (chauffé); 4. champagne (sec léger); 5. dessert; 6. parce qu'il est sucré.

Chapitre 6

Étude de vocabulaire **D.** *Messages.* Claude: 39-44-91-17 Ginette: 56-68-99-94 Léonard: 78-11-81-72 Mireille: 70-88-77-6 **E.** *Chez Fauchon.* le pâté de foie gras: 192 F le kilo / les truffes noires: 360 F les 100 grammes / le jambon de Parme: 120 F le kilo / le camembert: 54 F la pièce / le vin mousseux de Saumur: 150 F la bouteille **Étude de grammaire** **20. Pointing out people and things: Demonstrative adjectives** **A.** *Un jeune couple québécois.*

MME BRACHET: Alors, Marcel, <u>ce quartier</u>... les parents de Jeanne habitent ici?
MARCEL: Oh oui, tout près, Maman! Dans <u>cette rue-ci</u>, justement.
MME BRACHET: Et toi et Jeanne, vous louez un studio dans <u>cet immeuble-là</u>, en face?
MARCEL: Oui, Maman. Regarde <u>cette vue magnifique</u> et <u>ce joli petit</u> balcon.

(Ils montent au cinquième étage.)

MME BRACHET: Mais <u>ces pièces</u>, elles sont minuscules! <u>Cette vieille cuisine, ces fenêtres</u> sans rideaux...
MARCEL: Mais voyons, Maman, <u>cet appartement</u> est bien situé, et nous ne sommes pas difficiles!
MME BRACHET: Peut-être...
MARCEL: Et comme d'habitude, Jeanne et moi, nous comptons déjeuner chez toi, au moins le dimanche!

23. Describing people and things: The placement of adjectives   **A.** *Voisines.*   1. F, 2. V,   3. V,   4. V,   5. V,   6. F,   7. F   **Prenez l'écoute!**   *Les promotions du mois.*   (1)

	ÉTIENNE	SOLANGE	JEAN-MARC
	204 F 30	50 F	37 F 20
	104 F 80	36 F 30	36 F 60
	86 F 80	19 F	146 F
TOTAL	395 F 90	105 F 30	199 F 80

Chapitre 7

Étude de vocabulaire   **B.** *De quoi Chantal a-t-elle besoin?*   1. d'une voiture,   2. de mauvais temps,   3. d'une raquette,   4. de chaussures à hauts talons,   5. d'une lampe de poche,   6. d'un sac de couchage   **C.** *Un peu d'histoire européenne.*   1. 785,   2. 1120,   3. 1096,   4. 1431, 5. 1756,   6. 1793,   7. 1814   **Étude de grammaire**   **25. Talking about the past: The passé composé with avoir**   **B.** *Dictée: La météo.*

(1) Il y a trois jours, <u>nous avons eu envie de</u> faire une promenade à bicyclette à la campagne. J'ai allumé la radio pour écouter la météo.

«Aujourd'hui, <u>il fait beau et chaud. Il fait un peu frais</u> en montagne. <u>Il n'y a pas de problèmes sur les routes.</u>»

A cause du beau temps, <u>on n'a même pas pris de pull-over.</u> Nous <u>avons emporté</u> des sandwichs et notre appareil-photo, et nous <u>avons quitté</u> la ville vers onze heures. Mais après une demi-heure de route, <u>le temps a changé. Il a commencé à</u> pleuvoir. Heureusement, <u>on a vu un petit café-restaurant</u> près de la route. Quelle chance! Les bicyclettes? <u>Nous avons laissé</u> les bicyclettes dans le garage. Le déjeuner? <u>Il a été délicieux!</u> Et la météo? <u>Moi, je ne crois pas à la météo!</u>

(2) 1. F,   2. F,   3. V,   4. V   **26. Expressing how long: depuis, pendant**   (2) *Une interrogation*   1. depuis,   2. Depuis que   3. Pendant   4. il y a   5. pendant **27. Expressing observations and beliefs: voir and croire**   *Une rencontre fantastique.*   (2)   1. a, 2. c,   3. b,   4. a,   5. b,   6. a

Chapitre 8

Étude de vocabulaire   **B.** *Arrivées.*

N^O DU VOL	ARRIVE DE/DU/DES	HEURE D'ARRIVÉE
61	Japon	9 H 40
74	États-Unis	13 H 30
79	Canada	20 H
81	Russie	8 H 15
88	Chine	midi
93	Maroc	17 H 15
99	Mexique	15 H 10

C. *Conduire en Europe.*   1. a,   2. f,   3. h,   4. b,   5. e,   6. c,   7. g   **Étude de grammaire**   **28. Talking about the past: The passe composé with être**   **B.** *Premier voyage*   (2)

Cher Papa,

Oui, à la gare j'ai attendu sur le quai. J'ai pris ma valise. Je suis montée dans le train. Je suis descendue à Lyon. J'ai rencontré nos amis. Je suis allée voir Tante Lucie. Et maintenant, Papa, j'ai envie de rentrer. Est-ce que tu peux venir me chercher?

Gros bisous,

Maryvonne

Prenez l'écoute! **A.** *Une croisière.* 1. 23 jours 2. le samedi 5 novembre → le lundi 28 novembre 3. 30 000 FF environ 4. Paris-Djibouti en avion, Djibouti-île Maurice en bateau, retour en avion 5. le Mermoz 6. soleil, chaud, humide 7. un safari au Kenya 8. l'île Maurice (Port-Louis)

Chapitre 9

Étude de vocabulaire **A.** *Activités communicatives.* 1. b, 2. a, 3. c, 4. a, 5. b, 6. b **B.** *Une journée de travail.* 1. b, 2. b, 3. a, 4. b, 5. a, 6. a **Étude de grammaire** **32. Describing the past: The <u>imparfait</u>** **A.** *La vie de ma grand-mère.*
Cochés: allait à l'école; s'occupait de ses frères et sœurs; n'avait pas beaucoup d'argent; faisait le ménage; écoutait la radio; aidait ses parents; lisait beaucoup.
Activités pas sur la liste: aidait avec les devoirs; racontait des histoires; empruntait les vêtements des parents; faisait les devoirs; rêvait; écrivait des histoires.

33. Speaking succinctly: Direct object pronouns **A.** *Personnes et objets.* 1. a, 2. b, 3. b, 4. a, 5. b, 6. b, 7. a **34. Talking about the past: Agreement of the past participle** *Coup de téléphone.*
Allô Brigitte? Oui, c'est moi... Oui, oui, ça va... mais cet après-midi <u>j'ai cherché</u> mes clés pendant une heure... Oui, <u>je les ai</u> enfin <u>retrouvées</u>—c'est incroyable—derrière le sofa et à côté d'une pile de magazines. C'est qu'hier soir mes clés <u>étaient</u> près du téléphone. Et ce matin je <u>les ai laissées</u> sur ma table de nuit, j'en suis certaine. Mais, à huit heures, Gérard <u>a téléphoné</u> pour nous inviter à déjeuner. Puisque Monique <u>conduisait</u>, je <u>ne les ai pas prises</u> avec moi.
Elles <u>ont dû tomber</u> quand les deux chiens des voisins <u>sont entrés</u> dans l'appartement. Tu ne comprends pas encore?... eh bien... si tu as encore un moment, je peux t'expliquer le reste...

35. Speaking succinctly: Indirect object pronouns **A.** *A qui donnes-tu...?* 1. moniteur → Mireille 2. revues → Alice 3. livres → Richard 4. logiciels → Alice, Bernard 5. Marc dit au revoir. **Prenez l'écoute!** **A.** *Au Palais des Festivals de Cannes* (2) 1. b, 2. a, 3. b, 4. c, 5. c

Chapitre 10

Étude de grammaire **36. Describing past events: The <u>passé composé</u> versus the <u>imparfait</u>** **C.** *La liberté.*

1. Hier soir je passais un bon film à mon magnétoscope quand une amie m'a rendu visite.
2. C'était ma camarade Claire.
3. Elle m'a demandé de lui expliquer les devoirs d'économie.
4. Je lui ai répondu que l'examen était annulé.
5. Toute contente, elle m'a invité(e) à dîner si j'étais libre.

37. Speaking succinctly: The pronouns y and en **A.** *Carine découvre sa ville.* Cochés: le jardin zoologique, le jardin public, la pâtisserie, la piscine, le marché en plein air, la banlieue. **C.** *Un marché d'Abidjan.* 1. des bananes, 2. à ces statuettes, 3. une carte de la ville, 4. du café, 5. à la marchande de fleurs, 6. à l'arrêt d'autobus **38. Saying what you know: <u>savoir</u> and <u>connaître</u>** **A.** *Désorientation.* 1. a, 2. b, 3. a, 4. b, 5. a **Prenez l'écoute!** **A.** *Une visite du Musée d'Orsay.*

Détails: Samedi, vers midi; en métro, ligne 12, sortie à Solférino; vous, Gérard, Sylvie, un groupe d'amis américains et allemands; Impressionnistes (médiévales, de la Renaissance); vidéos; musique; dîner; faire des achats. *Pas possible*: Art médiéval ou de la Renaissance; faire de la peinture.

Chapitre 11

Étude de vocabulaire   **A.** *La scolarité française.*   1. a, 2. b, 3. a, 4. b, 5. a, 6. a,
7. a   **B.** *Christine et Alain, des étudiants mariés.*   (2)   1. V, 2. F, 3. F, 4. V
C. *Orientation.*

septembre - octobre ⟵⟶ mai	juin	juillet - août
la rentrée aux cours	*On prépare les examens.*	*le début des vacances*
On s'inscrit aux cours.		*On obtient son diplôme.*
⟵ *On suit les cours.* ⟶		
On reprend les études.		*On passe les examens.*

D. *Diplômes.*   1. Médecine, 2. Droit, 3. les beaux-arts, 4. le commerce   **Étude de grammaire**   **40. Expressing actions: Pronominal verbs**   **A.** *Les distractions des étudiants.*
(2)   1. me demande / s'amuser 2. se reposer 3. s'arrêter 4. se retrouvent 5. s'installe
6. se dépêcher 7. se détendent   **B.** *Une vie d'étudiant.*   1. b, 2. a, 3. a, 4. b, 5. a, 6. b
41. Giving commands: Object pronouns with the imperative   **A.** *Confrontations.*   1. d,
2. b, 3. c, 4. a, 5. e   **42. Saying how to do something: Adverbs**   **A.** *À vos marques! Prêts! Partez!*   1. L, 2. T, 3. L, 4. L, 5. T, 6. L, 7. T, 8. L, 9. L, 10. T   **Étude de prononciation**
Les voyelles orales, (2)   1. [ø] œufs, peu, deux 2. [œ] jeune, professeur, heureux 3. [u] courage,
amour, août 4. [y] rue, université, aventure   **Prenez l'écoute!**   **A.** *Éducatel, une école privée.*
1. 10, 2. 6, 7, 8, 3. 1, 4. 9, 5. 5, 6. 3

Chapitre 12

Étude de vocabulaire   **A.** *Une triste histoire d'amour.*

(2) <u>Au début</u>: se voir (pour la première fois); se rencontrer; coup de foudre
<u>Au milieu</u>: sortir; se fiancer; se marier; partir en voyage de noces; s'installer
<u>Vers la fin</u>: se disputer; divorcer

Prenez l'écoute!   **A.** *Voulez-vous une assurance médicale pour votre chien?*

QUESTIONNAIRE ASSURANIMAUX

Nom ___Roland___   Race ____ mixte, berger et saint-bernard ____

Sexe ___male___   Date de naissance ____ 24 décembre 1980 ____

Poids (*Weight*)___ entre 45 et 50 kilos ___

1. Santé? ____ Excellente, à part quelques problèmes de digestion, ses oreilles, ses yeux, ses

   jambes _____

   _____

2. Nourriture?

   Repas ____ petit déjeuner, déjeuner, dîner, goûter _____

   _____

   Fréquence ____ 4 fois par jour _____

3. Habitudes/tempérament?

   ___ toujours ensemble avec sa famille, se réveille tard, dort entre les repas ___

   _____

4. Journée typique?

   Sommeil ____ entre les repas _____

   Sorties ____ non jamais, ou très peu souvent _____

   Autre chose ____ ? _____

   _____

Chapitre 13

Étude de vocabulaire   **A.** *Métiers*   1. douanière, 2. institutrice, 3. ouvrier agricole, 4. infirmier, 5. secrétaire, 6. comptable   **B.** *Question d'argent.*   1. a, 2. a, 3. b, 4. b, 5. a, 6. a   **C.** *Le compte de crédit de Joseph.*   (2) 1. ouvrir un compte de crédit. 2. a signé (a offert de signer) 3. a découvert / couvrait pas ses dépenses. 4. offre de l'aider. 5. souffre   **Étude de grammaire**   **47. Talking about the future: The future tense**   **A.** *Projets d'été.*   1. PA, 2. F, 3. PA, 4. PR, 5. F, 6. F, 7. PA   **C.** *Un emploi contemporain.*

UN POSTE IDÉAL

On cherche programmeurs et <u>programmeuses</u>. Le candidat idéal <u>aura</u> une formation récente <u>en informatique</u> et <u>connaîtra</u> la technologie <u>des ordinateurs</u>. Il <u>saura</u> se charger de projets indépendants; il <u>aimera</u> également le travail d'équipe. Notre candidat <u>aura</u> un tempérament agréable et compréhensif; il <u>sera responsable</u>, consciencieux et méticuleux. Le candidat <u>que nous choisirons aura</u> de nombreux avantages: congés payés, assurances médicales, frais de formation pour ceux qui <u>voudront</u> approfondir leurs connaissances. Le <u>salaire</u> initial <u>sera</u> de <u>8 250 francs par mois</u> avec possibilités d'augmentation régulière.

48. Linking ideas: Relative pronouns   **A.** *Interview d'un chef d'entreprise*   (2) 1. F, 2. V, 3. F, 4. F, 5. F, 6. V   **C.** *La vie de Daniel.*

1. Arthur, c'est une personne que je connais depuis quinze ans (que j'appelle quand je veux parler...).
2. Caroline, c'est une amie qui travaille dans une banque (qui peut toujours m'aider).
3. «Les Temps modernes», c'est un film dont nous parlons souvent (dont nous aimons l'humour et...).
4. La Lune bleue, c'est un café où je vais chaque soir (où sont beaucoup de mes amis, où nous discutons de notre journée..., où l'ambiance est très chaleureuse.)

Prenez l'écoute!   **A.** *Êtes-vous heureux dans votre travail?*   (1) Natalie: 2, 3, 5, 8 Christine: 3, 10, 12, 13, 14, 15 Benoît: 7, 9, 11, 14 Barbara: 1, 4, 6, 9

Chapitre 14

Étude de vocabulaire   **A.** *La vie sportive.*   1. du cyclisme (de la bicyclette, du vélo), 2. du jogging, 3. de la pétanque, 4. de l'alpinisme, 5. la pêche   **B.** *Les loisirs d'Albert.* 1. b, 2. b, 3. b, 4. b, 5. a, 6. b, 7. a   **C.** *Loisirs de dimanche.* (1)

Dimanche matin, vers huit heures, Delphine <u>a ouvert</u> sa porte. Dans la rue, <u>elle a découvert</u> quelque chose de surprenant: une vingtaine de personnes <u>couraient</u> dans un marathon. Comme <u>il faisait</u> assez chaud, <u>ces gens avaient</u> très soif. En fait, certains d'entre eux <u>avaient</u> vraiment l'air de souffrir. Delphine <u>leur a offert</u> à boire; <u>trois ou quatre personnes ont accepté</u> un verre d'eau; <u>elles lui ont souri</u> rapidement avant de reprendre la course. Delphine <u>a regardé</u> ces gens sérieux et enthousiastes; <u>elle n'a pas ri</u> d'eux. <u>Elle a repris</u> calmement son journal.

Étude de grammaire   **49. Getting information: Interrogative pronouns**   **A.** *Danielle participe à une course cycliste.* (2)

1. Il se passe une course cycliste aujourd'hui.
2. Elle aime faire du cyclisme (de la bicyclette).
3. Elle va participer à la course cycliste.
4. Elle a mis un short, un maillot, des chaussures, des gants et un casque.
5. C'est une sorte de chapeau pour protéger la tête.
6. Je vais encourager Danielle.
7. Danielle va la gagner, bien sûr!

B. Interrogation. 1. a, 2. a, 3. a, 4. a, 5. b, 6. b, 7. a 8. b **52. Making comparisons: Adverbs and nouns** **B.** *Trois collègues...* 1. Obélix, 2. Astérix, 3. Obélix, 4. Panoramix, 5. Panoramix, 6. Panoramix, 7. Astérix, 8. Obélix, 9. Astérix, 10. Astérix **Situation** *Séance de cinéma.* (2) 1. Toulouse, 2. Toulouse, 3. Toulouse, 4. Los Angeles, 5. Los Angeles, 6. Toulouse **Prenez l'écoute!** **A.** *Parcs de loisirs: la soif européenne.*

1.a.

Nom du parc <u>Mirapolis</u>   Situé où? <u>Cergy-Pontoise</u>

<u>   50 km à l'ouest de Paris   </u>

Superficie (*Area*) <u>   64   </u> ha

Thème principal <u>   l'Europe et ses légendes   </u>

Coût de la construction <u> 500 </u> millions de FF

Année d'ouverture <u> 1987 </u>

Attractions spéciales <u> effets spéciaux, automates, rayons laser </u>

b.

Nom du parc <u>Astérix</u>   Situé où? <u>Picardie (Plailly)</u>

<u>   dans le nord de la France   </u>

Superficie <u> 170 </u> ha

Thème principal <u> personnages de bandes dessinées (B.D.) </u>

Coût de la construction <u> 700 </u> millions de FF

Année d'ouverture <u> 1989 </u>

Attractions spéciales <u> Astérix et ses compagnons </u>

c.

Nom du parc <u>Eurodisneyland</u>   Situé où? <u>Seine-et Marne</u>

<u>(Marne-la-Vallée)</u>

<u>   au sud-est de Paris   </u>

Superficie <u> 1.700 </u> ha

Thème principal <u> personnages de Disney </u>

Coût de la construction <u> 1.500 </u> millions de FF

Année d'ouverture <u> 1992 </u>

Attractions spéciales <u> Mickey, Minnie, Donald </u>

d.

> Nom du parc <u>Les Vikings</u>   Situé où? <u>Normandie, près de</u>
>
> <u>Rouen (Pont-Audemer)</u>
>
> <u>dans le nord-ouest de la France</u>
>
> Superficie <u>   200   </u> ha
>
> Thème principal <u>   histoire des Vikings   </u>
>
> Coût de la construction <u>   100   </u> millions de FF
>
> Année d'ouverture <u>   1988   </u>
>
> Attractions spéciales <u>   attractions basées sur l'histoire   </u>

e.

> Nom du parc <u>Futuroscope</u>   Situé où? <u>près de Poitiers</u>
>
> <u>dans le centre-ouest de la France</u>
>
> Superficie <u>   60   </u> ha
>
> Thème principal <u>   la science et la technologie   </u>
>
> Coût de la construction <u>   ?   </u> millions de FF
>
> Année d'ouverture <u>   1987   </u>
>
> Attractions spéciales <u>   pavillons scientifiques, lycée pilote   </u>

(2) *Comparons les cinq parcs.*   1. c, e;   2. c, d;   3. a, e;   4. c;   5. a, b, c

Chapitre 15

Étude de vocabulaire   **A.** *Règles de conduite.*   1. La pollution, 2. La réduction,
3. La conservation, 4. Le développement, 5. la protection 6. La réussite, 7. L'élection
B. *Questions contemporaines.*   1. a, 2. a, 3. a, 4. a, 5. b, 6. b   **Étude de grammaire**
53. Expressing attitudes: Regular subjunctive verbs   A. *Suggestions.*   mène, sort, lise, prenne,
manifeste, réussisse   **54. Expressing attitudes : Irregular subjunctive verbs   A.** *Différences
d'opinion.*   1. Brigitte, 2. Jérôme, 3. Jérôme, 4. Brigitte, 5. Brigitte, 6. Jérôme
55. Expressing wishes and opinions: The subjunctive   A. *Conseils.*   1. Corinne, 2. Martin,
3. Corinne, 4. Corinne, 5. Martin, 6. Corinne, 7. Martin   **56. Expressing emotion: The
subjunctive   A.** *Maurice est désolé.*   (2) 1. veuille, 2. voient, 3. vienne, 4. puissent,
5. soit   **B.** *Citoyens de l'Europe nouvelle...*   1. I, 2. S, 3. S, 4. I, 5. I, 6. S, 7. I, 8. S,
9. S   **Situation**   *L'Amérique en question.*   (2) 1. a, 2. a, 3. b, 4. b, 5. a, 6. a, 7. b
Prenez l'écoute!   (2)   <u>Ne</u> sont <u>pas</u> cochés: une langue unique, un seul gouvernement, une culture
unique.

Chapitre 16

Étude de vocabulaire   **A.** *Souvenirs de l'histoire de France.*

l'époque romaine: <u>arènes de Lutèce</u>
le moyen âge: <u>Notre-Dame</u>, <u>Charlemagne</u>
la Renaissance: <u>Jacques Cartier</u>, <u>château de Chambord</u>
l'époque classique: <u>palais de Versailles</u>
l'époque moderne: <u>la tour Eiffel</u>, <u>Charles de Gaulle</u>

C. *Mes perceptions.*

1. J'<u>ai aperçu</u> le prof de français qui faisait la queue.
2. Oui, j'<u>ai reçu</u> une lettre de mon ami.
3. Je <u>reçois</u> un chèque de mes parents.
4. Oui, je <u>m'aperçois</u> qu'il est fatigué.
5. J'<u>aperçois</u> de jolis arbres et des étudiants qui se promènent.

Prenez l'écoute!   **A.** *Les opinions de Linda sur la France* (2)   1. b, 2. a, 3. b, 4. a, 5. b,
6. a, 7. b, 8. a

Chapitre 17

Étude de vocabulaire   **B.** *Le français dans le Nouveau Monde.*   1. a, 2. b, 3. a, 4. b, 5. a,
6. a, 7. a   **Étude de grammaire**   **61. Expressing subjective viewpoints: Alternatives to the
subjunctive**   **C.** *Une histoire véritable.*   (2) 1. a, 2. b, 3. a, 4. b   **Étude de prononciation**
(1) *Les consonnes finales.*

une me<u>r</u> d'azu<u>r</u>   le tenni<u>s</u> international
un père attenti<u>f</u>   le concours initia<u>l</u>
un rôti de porc   la cle<u>f</u> retrouvée
le su<u>d</u>-e<u>st</u>   l'hôte<u>l</u> blanc
le passager africain   un loyer modeste
le shor<u>t</u> chi<u>c</u>   un serveu<u>r</u> gentil

(2) 1. le tabac, 2. les bœufs, 3. dîner, 4. le premier, 5. le tapis, 6. la clef, 7. le nord

(3) Le gentil che<u>f</u> cuisinier,
    ave<u>c</u> son grand sa<u>c</u> neu<u>f</u> et très sporti<u>f</u>,
    prend le dernier vo<u>l</u> norma<u>l</u> pou<u>r</u> le Portuga<u>l</u>.
    Au printemps, je vais à l'Hôte<u>l</u> du La<u>c</u>
    dans le quartier chi<u>c</u> et che<u>r</u>
    de l'Hôpita<u>l</u> Lafleu<u>r</u>.

Situation   (2) 1. a, 2. b, 3. b, 4. a, 5. b, 6. a   **Prenez l'écoute!**   **A.** *Le français en
Afrique.*   (2) 1. le Luxembourg 2. le Madagascar 3. le Viêt-nam 4. le Maroc, l'Algérie, la Tunisie
5. les îles Kerguelen 6. la Nouvelle-Calédonie   **B.** *Francophonie: le troisième Sommet.*
(2) 1. F, en 1989, 2. V, 3. V, 4. V, 5. F, Mitterrand était présent, 6. F, La Suisse participait pour la
première fois à Dakar, 7. V

Chapitre 18

A. *Une légende moderne.*

(2) 1. Dans le désert du Sahara
    2. L'aviateur, le Petit Prince et le renard
    3. (Il avait eu) une panne de moteur.
    4. D'une autre planète (pas plus grande qu'une maison)
    5. Le renard
    6. Il a quitté le désert seul.

B. *Un conte populaire.*   (2) 2, 5, 1, 4, 3;   (4) 1. Le cadi, 2. Le marchand, 3. Djeha, 4. Le cadi, 5. Le marchand, 6. Le cadi   **C.** *L'as-tu vue, la Joconde?*   (2) 1. b, 2. a, 3. a;   (4) 1. F, 2. F, 3. V, 4. V, 5. F, 6. F